おうちでも簡単に作れる！

子どもの才能を伸ばす モンテッソーリ教具100

一般社団法人
ホームメイドモンテッソーリ協会理事長
藤崎達宏

横浜・大阪
モンテッソーリ こどものいえ
伊藤あづさ

三笠書房

はじめに
── なぜ、今、ホームメイド・モンテッソーリ®なのか

私は、自身の子育ての経験とモンテッソーリ教育を融合したセミナーを全国で開催し、多くの子どもと関わってきました。その中で自宅でもできるホームメイド・モンテッソーリを提唱、ありがたいことに多くの親御さんからご支持をいただいています。また、私はこれまで3冊のモンテッソーリ教育に関する本を出版していますが、そのどれもが数カ国で翻訳されており、自宅でできるホームメイド・モンテッソーリへの期待は、日本だけでなく世界的なムーブメントとなりつつあることを肌で感じています。それは、時代を切り開いているGAFAM（Google、Amazon、Facebook、Apple、Microsoft）の創始者の5人のうち、4人がモンテッソーリ教育を受けているなどの背景から、「次世代のリーダーを育成するには、幼少期に豊かな実体験が必要なのでは？」ということに世界中が気づいたことも一つの理由でしょう。

また、コロナ禍という今まで私たちが経験したことのない世界的な環境変化によって、「わが子にどのような能力を授けて世の中に送り出せばよいのか？」ということを根本的に考え直さざるを得なくなりました。

コロナ禍において私も2人の孫を授かりましたが、生まれたばかりの命を腕に抱きながら、「この子がこれから生きていく80年間、100年間はいったいどうなるのだろう？」と考えさせられました。

世の中は驚くほどのスピードでどんどん変わっています。小手先だけの技術や知識ではなく、「自分の肌で感じ、自分の考えで決断していく」「自分が自分の人生の主人公になって生き抜いていく」、そのような内側から湧き出る力が必要な時代になるのだと思います。そのためには、人生の土台となる力がつくといわれている0～6歳の大切な時期を、充実した環境で子どもが過ごす必要があります。すなわちご家庭での子育て環境が重要になってくるのです。

今こそ、わが子と向き合い、ホームメイド・モンテッソーリを始めるのに、最高の時期なのです。

今回はモンテッソーリ教師で、手作り教具の第一人者である伊藤あづさ先生のお力をお借りし、100円ショップなどで手に入る材料で簡単に作ることのできるモンテッソーリ教具とその活用法を大公開いたします。その数なんと「100種類」！

わが子が集中し、成長する姿を手作り教材によって、自宅にいながら見ることができる！

子育てをしていてこれほど嬉しい瞬間はありません。そこで、身についた能力は、一生涯わが子の体に宿り、これからの人生を生き抜いていく助けになるのです。

一般社団法人ホームメイド・モンテッソーリ®協会
藤崎達宏

はじめまして。横浜・大阪　モンテッソーリこどものいえの伊藤あづさです。

本書では、私がこれまでに考案してきた300種類の手作り教具の中から厳選した100種類を紹介させていただきます。

息子が6カ月の頃、子どもの教育にいいと言われていた高価な木製のおもちゃを買ったのですが、息子は見向きもしませんでした。

むしろその高価なおもちゃをよそに、ビニール袋やストロー、ただの紙切れなど、身近にあるもので集中して遊ぶ……そんな姿に気づいたのです。それからは不要になった段ボールに穴を開けてアクティビティーを作ったり、またお財布から中身を出すようになると、100円ショップで同じようなお財布を買って不要なカードを入れて渡したりしていました。3歳のお誕生日以降はすべて手作りで教具を作るようになりました。

ちょうどその頃、私はベビー系の講師をしていたのですが、レッスンの時に手作り教具を取り入れたところ、保護者の方から大好評、「あづさ先生の育児法を学びたい！」とのリクエストをたくさんいただきました。そして、より多くの方にモンテッソーリ教育を伝えるため、2012年にモンテッソーリ幼児教室を自宅で開講。その後、横浜、大阪に教室を開校、現在までに約2万人の親子のサポートをしてまいりました。そのサポートの中で、子ども一人ひとりの敏感期、そしてモンテッソーリ教育の理論に則（のっと）った教具を、試行錯誤しながら作り、300種類以上の手作り教具が生まれました。

モンテッソーリ教育と言えば、ピンクタワーや円柱さしなどが代表的ですが、本書ではそのような専門の教具ではなく、ご家庭にあるもの、または100円ショップなどで簡単に手に入れられる材料を使って作れる教具をご紹介します。専門の教具は素晴らしいものですが、それらがなくてもモンテッソーリ教育はできる、このことを多くの方に伝えたいと思っています。

子どもはいたずらが大好きです。しかし、決してお母さんを困らせようと思っていたずらをしているわけではありません。そのいたずらは、身体全身、腕、手指を発達させたい魂の叫びなのです。

物を投げたり、石を穴に落とし続けたり、ひもをひっぱるなど、身のまわりにあるもので、子どもたちは自らを発達させようとしています。そのエネルギーをいたずらと決めつけてやめさせてしまうのではなく、100円ショップやホームセンターですぐに手に入る材料で代用品を作ってあげましょう。簡単な手作り教具かもしれませんが、その教具には、親の愛情がたっぷり入っています。その愛情が、親子の心の安定につながっていきます。

本書が、親子の心の土台作りの一助となれば、こんなに嬉しいことはありません。

横浜・大阪　モンテッソーリこどものいえ　**伊藤あづさ**

目　次

3章 子どもの才能をひき出す手作り教具

本文デザイン・DTP　土屋裕子（株式会社ウエイド）
本文写真　坂井けいこ
本文イラスト　河合美波

1 章

子どもを
豊かに育てる
モンテッソーリ教育

「モンテッソーリ教育とはどのような教育ですか？」

モンテッソーリ教育は、イタリア初の女性医師であるマリア・モンテッソーリが100年以上前に確立した教育法で、医学、生物学、心理学といった幅広い学問の上に成り立っていることが大きな特徴です。

フェイスブックやグーグルの創業者、日本では将棋の藤井聡太棋士など、世界でめざましい活躍をしている人々が幼少期に受けていたことでも注目されています。

モンテッソーリがこの新たな教育法を生み出すまでは、「子どもは何もできない存在だから、親や教師の言うとおりにしていればいいんだ！」というのが定説でした。

それは世界中どこでも同じでした。そのため、家具一つとってみても、すべてが大人サイズ。子どもが自力で椅子に座ろうと思っても、自分一人では座れません。大人の力を借りて、椅子の上にのせてもらうしかなかったのです。

それに対して、モンテッソーリは真っ向から違う意見を主張しました。

「子どもはすべてのことができるように生まれてくるのです。もし、できないことがあるとすれば、物理的に不可能な環境にあるか、どうすればいいのか、やり方がわからないだけなのです」

このひと言に、ホームメイド・モンテッソーリの鍵が隠されています。つまり、**「園に通わせなくても、おうちでも環境を整え、親がやり方さえ教えてあげられれば、子どもは何でも自分でできるようになる！」**ということなのです。

それを証明したのが、1907年にモンテッソーリが設立した「子どもの家」でした。子どもの家には、子どもが何でも自分でできるような環境がすべて整えられていました。そして、それまで何もできないと思われていた子どもたちが、子どもの家では、自らすすんでお仕事を選び、生き生きと取り組む姿を見せたのです。

これは世界にも衝撃を与え、それ以降、子どもの本当の力をひき出す教育法として現在もなお注目を集めています。

そんな素晴らしいモンテッソーリ教育をわが子に受けさせたいと思う親御さんは、世界中にたくさんいます。

しかし、モンテッソーリ教育には１つ問題があります。それは、モンテッソーリ教育を取り入れている教育施設の数がとても少ないことです。また、地域的、経済的理由から受けさせられないご家庭もたくさんあると思います。

本書は、自宅をモンテッソーリ園のように完璧に改造することを目的とはしていません。モンテッソーリ教育を通して、わが子のことを深く、正しく理解することで、楽しみながら、自信を持って子育てに臨んでいただくこと。そして、そのサポートをするために、モンテッソーリ教具を手作りし、子どもの可能性を開いてあげることが目的です。

本書では、ご自宅で簡単に作ることのできるモンテッソーリ教具を100個紹介していますが、**完璧を求める必要はありません**。

次項から説明する５つのステップを理解したうえで、子どもを観察し、わが子の成長段階に適した教具を整えること。そして子どもに、正しいやり方でその教具の使い方を「指示」することが大事なのです。

モンテッソーリ教育はどんなに短時間でも、一部分だけでも、毎日はできなくても、やらないよりやったほうがわが子のためになることだけは確かです。

100個の手作り教具の中から、一つでも作れるものを見つけて、わが子がその教具に集中する姿が見られれば良いのです。

その活動を通して身についた力は、わが子の一生の宝となります。

それでは、次項から次の５つのステップを一つずつ解説していきます。

〈ホームメイド・モンテッソーリ５つのステップ〉

ステップ❶**【発達の４段階】で、わが子の位置が見えてきます。**

ステップ❷**【敏感期】を知ることで、わが子の本当の姿が見えてきます。**

ステップ❸**【観察】から、モンテッソーリ教育は始まります。**

ステップ❹**【環境・教具】を整えれば、わが子は何でもできるようになります。**

ステップ❺**【提示】をすることで、環境とわが子を結びつけます。**

ステップ1
わが子は今、どのステージにいるのか？
発達の４段階

モンテッソーリ教育は、わが子が今、どの成長段階にいるのか、まずは、子どもの成長の大きなアウトラインを知ることから始まります。その助けになるのが、モンテッソーリが考え出した子どもの「**発達の４段階**」です。

P.19の図をご覧ください。

モンテッソーリは、０歳から24歳の大人になるまでの24年間を６年ごと、４つの期間にわけて「発達の４段階」としました。

０～６歳までの小学校に通う前の期間を「**乳幼児期**」、６～12歳の小学校時代を「**児童期**」、12～18歳の中学・高校時代を「**思春期**」、18～24歳の大学時代を「**青年期**」としたのです。モンテッソーリ教育は親がまず、わが子が４つの段階を経て変容する（大人になる）ということを受け入れることから始まります。

注目していただきたいのはそれぞれの期間の色です。オレンジ・青・オレンジ・青と交互になっています。オレンジ色の時期は、子どもの変化がとても激しく、親は子どもの行動に要注意の時期！　青い色の期間は心身ともに成長が安定していることを表しています。

❶０～６歳の乳幼児期

P.14でも述べたように、かつては日本でも、小学校に入学するまでは、子どもは何もできない存在なのだから「親や教師の言う通りにしていればいいんだ！」「勉強は小学校に入ってから。それまでは外で元気に遊んでいればいいんだ！」といった考えが主流でした。ところが、モンテッソーリはまったく違う考えを示しました。

「０～６歳の間は、その後の長い人生を生きていくのに必要な能力の80％の能力が備わる、最も大切な時期である」

まずは、０～６歳までのわが子は発達の４段階の中でも、最も大切な時期を過ごしているのだということを知ることが大切です。

❷ 6 ～ 12 歳の児童期

小学校の６年間です。この期間は青色で、心身ともに成長はなだらかで安定しています。また、**「莫大な記憶が可能な時期であり、この時期に覚えたことは半永久的に忘れない」**という素敵な時期でもあります。

❸ 12 ～ 18 歳の思春期

中学・高校生のこの時期は、心身ともに変化が激しいのでオレンジ色です。意識は自分自身の内面に向き、自分が他人からどう見られているのかがとても気になり、まわりから浮くことをとても恐れるようになります。行き所のないエネルギーが、いじめ、家庭内暴力、ひきこもりなどといった形で発散され、危険なシグナルを発するようになります。

子どもの行動が理解できずに、苦しむ親御さんが多くなる時期です。しかし、**「○○期」というものには必ず始まりがあり、そして終わりがある**ということを覚えておいてください。

❹ 18 ～ 24 歳の青年期

暗雲立ちこめた思春期も必ず終わりがやってきて、青空のように晴れ渡った青年期が訪れます。意識は外に向き、自分の将来や職業について

発達の4段階

モンテッソーリ教育では、大人になるまでの24年間を以下のように6年ごとにわけて、「発達の4段階」としています。ここで注目すべきは期間の色。オレンジの時期は変化が激しく、親は要注意！　この4段階の成長を知っているかどうかで子育ては大きく変わります。

乳幼児期

最も大きく成長・変容する時期。その後の人生を生き抜くために必要な能力の80％がこの6年間に身につく。3歳を境に前期と後期にわけられる

前期　**0〜3歳**

無意識的にすべてのことを吸収する。人間の最も大切な能力である「歩く」「手を使う」「話す」が確立する

後期　**3〜6歳**

0〜3歳で無意識に吸収した膨大な情報を五感を使って整理していく。集団の中で自分を律するようになる

児童期

6〜12歳　小学校

安定した時期。莫大な記憶が可能に。家族、親が一番から友達が一番、に変化する時期

思春期

12〜18歳　中学・高校

心身ともに大きく変容する不安定な時期。まわりから浮くことを恐れる

青年期

18~24歳　大学

社会に対して、自分がどう貢献できるか考える。成長は安定している

考えたり、社会に対して自分はどのように貢献できるかを模索するようになり、大人へと羽ばたいていくのです。

０～６歳の乳幼児期は３歳を境にさらにわけられる

モンテッソーリはこう言っています。

「神様は０～３歳と、３～６歳の子どもを、赤い線を引いたがごとくおわけになった」

P.19の図にもあるように、0～6歳の乳幼児期はさらに0～3歳の前期と、3～6歳の後期にわけられます。

まずは、「3歳を境にして、わが子は変容するんだ」ということを親が知ることが第一歩です。特に次の2つの変容に注目しましょう。

その１「動きの変化」

０～３歳の前期には、生きていくのに必要な基本的な動き自体（落とす、ひっぱる、つまむ、そそぐなど）を習得することが必要です。

一つひとつの動きを、何回も練習することで、自分の生きる力に変えていくのがこの時期です。そのために必要なのが、本書で紹介する手作り教具なのです。

それぞれの教具は目的を持って作られています。子どもが自らの動きを磨くことのできる、そうした環境さえ用意しておけば、子どもは自ら積極的にかかわり、基本的な動きをどんどん習得していきます。

３歳を過ぎ、後期に入るころには、それらの基本的な動きを習得し終えます。やがて習得した動きを組み合わせて、「ほうきで掃く、洗濯をする、花をいける」など、生活に役立てるようになります。これを「日常生活の練習」と呼びます。

3歳以降は、単にできただけではなく、より上手に、より洗練させていくことに喜びを覚えるようになります。

その２「記憶の変化」

０～３歳の前期の子どもは、無意識のうちに見聞きしたモノをそのまま吸収する能力を持っています。それはあたかも、瞬間的に写真で記憶に収めるような素晴らしい力です。

私たち親は、その力を信じ、多くの本物に触れられる環境を整備する必要があります。

３歳を過ぎる後期に入ると、それまでに無造作に蓄えられた情報を整理して、意識的に定着させようとします。その時に大切になってくるのが「五感」なのです。

このように、０～６歳の前期と後期では、「動き」と「記憶」が変わっていくということを知っておきましょう。

ステップ2
子育ての予習［敏感期］

モンテッソーリ教育でしっかり押さえておきたいキーワードに「敏感期」があります。

敏感期とは、**子どもが何かに強く興味を持ち、集中して同じことを繰り返す、特定の期間**のことを指します。

たとえば、こんなことはないでしょうか？

何だか静かだな～と思って、わが子の様子を見てみると、ティッシュペーパーを箱からズルズルひき出しているではないですか！

お母さんは、「静かだと思ったらこんないたずらをして！　もったいないでしょ～！」と言って、子どもから箱を取り上げ、手の届かない場所にしまってしまいます。そして、取り上げられた子どもは烈火のごとく泣き叫んでいる。実はこの年代の子どもたちは世界中どこでも同じような行動をしているのです。

こうしたいたずらにモンテッソーリ教育の重要なヒントがあります。

０～３歳の子どもは、自由に動き始めた自分の手指をいろいろ使ってみたいという、「運動の敏感期」にあるのです。

子どもはまず自分で興味、関心があることを探し出します。

なぜなら「今、自分がやらなくてはいけない課題」を本能的に知っているからです。それはあたかも「神様からの宿題」のようです。

子どもがティッシュペーパーをひき出していたのは、「今、あなたは指でつまんで、ひっぱることを練習して、覚えるのですよ！」という、「神様からの宿題」に一生懸命取り組んでいる最中だったのです。

だから、ひっぱる対象を自分で見つけてきて、何回もひっぱり出し、うまくできるようになることで、「一人でできた」という「自己肯定感の種」が芽生えていた、とても大切な瞬間だったのです。

こうした子どもの成長に対する知識がないと、単なるいたずらと判断して、わが子にとっての最高の成長の瞬間を取り上げてしまい、せっかく芽生えた自己肯定感の芽を摘んでしまいかねないのです。

では、どうすれば良いのでしょうか？

まず、年齢ごとの敏感期について、正しい知識を持ちましょう。そして、わが子が興味を持ちそうな環境＝教具を準備してあげるのです。

ティッシュペーパーがもったいないのであれば、代わりにひき出せるような教具をホームメイドで作ってあげましょう。

たとえばP.72の「チェーンひっぱり」やP.74の「トイレットペーパー出し」のようなものを作って置いておけば、子どもは自分からそれを見つけて、何回も繰り返し活動し、「神様からの宿題」を終えることができます。

わが子が生きていく力を身につけている、そう思えれば、親御さんも怒らないで見守ることができるのではないでしょうか。

敏感期には始まりと終わりがある

P.26 ～ P.27の図を見てください。０～６歳の間に、様々な敏感期が訪れます。

この時期は活動するのが楽しくてしょうがない。

楽しいから繰り返す。繰り返すからどんどん上手になる。

この素敵な敏感期があるからこそ、その後の人生を過ごすのに必要な80％の能力を、０～６歳の乳幼児期に得ることができるのです。

しかし、P.18でもお話しした通り「○○期には始まりと終わりがある」のです。歩くことが楽しくて仕方がない運動の敏感期にたっぷり歩かせてあげないと、大きくなってからしっかり歩けない子どもになってしまうかもしれません。

数字に興味を持つ数の敏感期に楽しく数える活動をしておかないと、小学校、中学校と進んでいく段階で数字が苦手、算数、数学が苦手な子になってしまうかもしれません。敏感期が過ぎてしまうと、様々な活動があまり楽しくない。楽しくないから繰り返さない。繰り返さないから身につかない。こうした状態になってしまうのです。ですから、私たち親は知識を身につけて、我が子の敏感期の訪れを見逃さないようにしなくてはいけないのです。

モンテッソーリはこう言っています。**「親や教師が子どもの敏感期を見逃すことは、終バスに乗り遅れるようなものだ」**

敏感期は二度と来ないということですね。親からするとドキッとさせられますね。しかし、「早すぎてもいけない」ということも知っておいてほしいのです。たとえば、「数や文字を早くからマスターしておけば、小学校に入ってから有利だから！」と、敏感期がまだ訪れていないのに、親がドリルなどを買ってきて、紙の上で教えこんでしまう。やらされ教育により、数字嫌い、文字嫌いを生んでしまいます。これが、「早期教育」の最大の弊害です。

P.26～P.27の敏感期の図を目安に、わが子のそれぞれの敏感期の到来の予測を立てます。そして、わが子の今の活動を「観察」して、教具を与えるタイミングを計ります。ある一定の時期に現れ消えていく、敏感期という素晴らしい力を最大限に活かすことができるのです。

これが、モンテッソーリ教育が「早期教育」ではなく、「適時教育」といわれる理由なのです。

特に大人が理解しづらいのが「秩序の敏感期」です。

子どもはこの世の中のことを何も知らされずに産み落とされることになります。そのため、生まれてすぐから世の中の情報を無意識的な記憶法でどんどん吸収し、そして「秩序づけて」世の中の仕組みを理解していきます。子どもにとって、身につけた秩序は自分の今を知るための地面のようなものなのです。だから、この秩序が乱れることをとても嫌がります。

物事の「場所」「順番」「やり方」などに強くこだわるのはこのためです。

親を悩ます原因不明の大泣きも、この秩序の敏感期の存在を知っているだけで避けることが可能です。どうしても泣きやまないときは、「いつもと違う場所だったのかな？　順番ややり方が違ったのかな？」と振り返ってみましょう。

子どもの敏感期

		胎内
運動 生活に必要な運動能力を獲得する	自分の意志で動かせる体を作る。歩くなど全身を使う運動から、手指を動かす微細な運動まで、思いどおりに動けたことに喜びを感じる時期	
言語 母国語をどんどん吸収する	胎内でお母さんの声を聞きながら育ち、3歳になるまでに母国語の基本をほぼ習得する。聞くこと・話すことが楽しくてしょうがない時期	
秩序 順番、場所、習慣などに強くこだわる	何もわからずに生まれてきた赤ちゃんは、世の中の仕組みを秩序づけて理解していきます。なので、秩序が乱れると途端に不機嫌になることも	
ちいさいもの ちいさいものをしっかり見たい	赤ちゃんは、生まれてすぐから目の焦点を合わせる練習をします。ちいさいものに焦点が合わせられて、しっかり見えたときに喜びが生まれます	
感覚 五感が洗練される	3歳前後から、それまでに吸収した膨大な情報を、五感を使って分類・整理し始めます。「はっきり・くっきり・すっきり」理解したい時期	
書くこと 読むことより早くやってくる	手先を動かしてみたいという運動の敏感期と重なり、目でしっかり見ながら書いてみたいという強い衝動に駆られる時期	
読むこと 読むのが楽しくてしょうがない	身近にある文字を読んでみたくてしょうがない時期。いろいろな字を壁に張っておくと、自分から読み始める	
数 何でも数えたい、少し遅めにやってくる	数字を読みたくてしょうがない、数を数えたくてしょうがない時期。「こっちのほうが多い・少ない」など量にこだわるのもこの時期	
文化・礼儀 社会性が芽生え異文化も理解する	朝晩のあいさつや、季節や年中行事などにも興味を持つ。大人の仕草を見て、真似てみたいのがこの時期	

子どもが、何かに強く興味を持ち、同じことを繰り返す限定された時期。
モンテッソーリ教育ではそれを「敏感期」といいます。

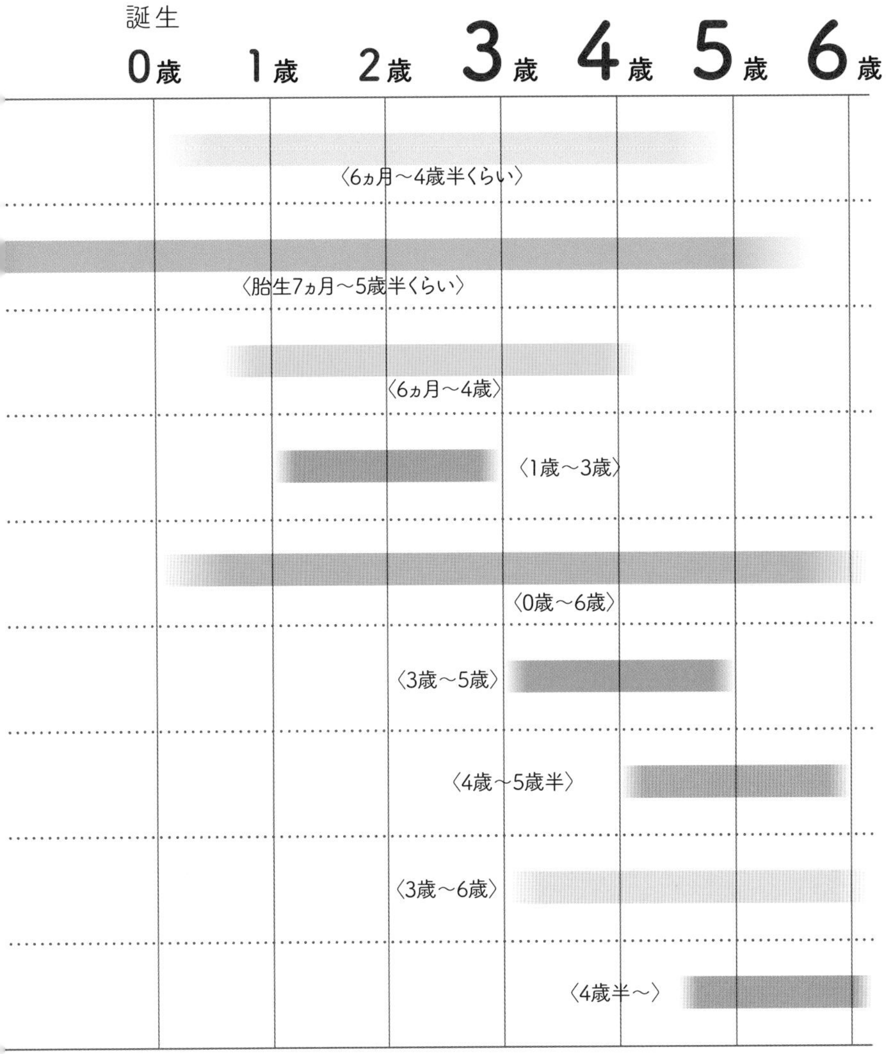

ステップ３
［観察］

前項で「敏感期」についてご説明しましたが、わが子が今、どの敏感期にいるのかを知るために、わが子を観察する日を１日設けましょう。**「今日１日だけは口も手も出さずに、わが子を見てみよう、観察してみよう」**と決めるのです。そうすると、「わが子の今」が見えてきます。「この子は今、こういうことに興味を持っているのか」とか、「この動きができなくて困っていたのか」とか、「ここに邪魔をするものがあるからできなかったんだな」など、これまで気づかなかったいろいろなことに気づくことができるはずです。

親御さんは、日々の生活に忙しいので、つい手を出し、口を出し、先まわりして問題解決をしてしまいがちですが、それによってわが子の今の、本当の姿が見えなくなってしまうのです。

ただし、一つ注意していただきたいことがあります。それは、間違っても、「何か悪いことをしていないかしら？」なんて目で見ないでくださいね！

「観察」が「監視」にならないように注意しましょう。

観察するときのポイントは次の３つです。

❶静かさ

子どもは、今の自分の成長に合っている活動に出合うと、静かに集中します。親から見たらいたずらかもしれませんが、その子にとっては大事な活動。決して親に見つからないように静かにしているわけではないのです。ですので、静かに集中している姿が見られたら、できる限り邪魔をしないことが大切です。

❷繰り返す

同じ活動を何回も繰り返すことで、その活動がどんどん上達していきます。たとえば1日中、はさみで切ることだけを繰り返している、その日の終わりにはその日に始めたころに比べるとはるかに上手に切れるようになります。その子は一生涯、はさみを上手に扱えることになるのです。

敏感期に適切な環境を準備することがいかに大事か、おわかりいただけると思います。

❸喜び

子どもはなぜ、あんなに楽しそうにソファーの上で飛び跳ねるのでしょう？

なぜあんなに嬉しそうに、塀の上をバランスを取りながら歩くのでしょう？　それは、その子が今、運動の敏感期にあり、「今あなたは跳躍する能力、バランスをとる能力を高めなさい」という神様からの宿題をしているからです。敏感期にマッチした活動をしているとき、子どもの脳には「ドーパミン」という快感ホルモンが流れます。だから子どもは得も言われぬ喜びを感じ、同じ行動を繰り返すのです。

観察を通して、わが子が静かに、嬉しそうに、何度も繰り返していたら、それが今、わが子の成長に一番合っている活動です。それにマッチする教具を作り、環境を整えてあげられれば、わが子が本来持っている力を十分にひき出すことができるのです。

ステップ4
［環境・教具］

P.14でも触れたように、かつての教育は、「子どもは何もできない存在だから、大人が教えこめば良いのだ」という一方的な関係でした。

子どもが何かをしたいと思ってもさせてもらえず、大人に管理されてきたことで、自発性のない、受け身の子どもにしてしまっていたのです。

しかし、敏感期に適切な環境を整えてあげさえすれば、子どもは自分から環境に関わり、自分自身を成長させることができます。これを子どもが持っている、「**自己教育力**」と言います。

大人がやるべきことは、その子どもに適した環境を用意し、子どもがその環境に密接に関われるようにサポートしてあげることです。

子どもと環境と大人。この三者の関係を「**モンテッソーリの三角形**」（次ページ参照）と言います。

大人の役割は子どもが自分の力でできるよう、環境を整えることだということが、この三角形から見えてきます。

しかし、環境が整っても、子どもはその環境とどう関わっていいかわからない。また、親は、教具はあるけれど、どう使ったらいいのかわからない、ということもあります。

この場合は、大人が教具とその目的を理解したうえでやり方を見せてあげ、どう環境と関わって良いか教えてあげます。これを「**提示**」もしくは「提供」（P.35）と言います。

発達の４段階でわが子を観察、わが子の発達段階を知り、敏感期について学んだら、その段階に合った環境を整えてあげましょう。そうすれば、子どもたちは、自分から進んで環境と関わり、自分を高めていくことができます。そして、その最高の環境を整えるために必要なものが、本書で紹介する手作りのモンテッソーリ教具なのです。

一般的な［教育］

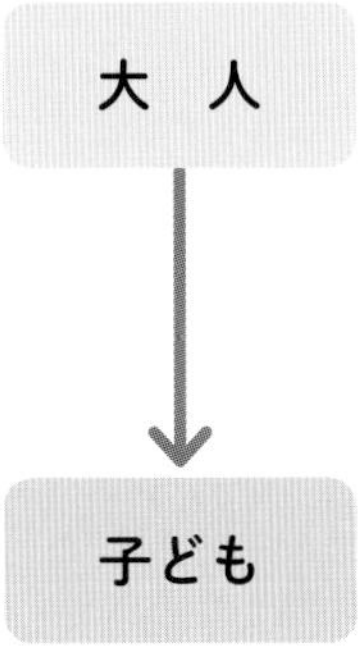

［モンテッソーリの三角形］

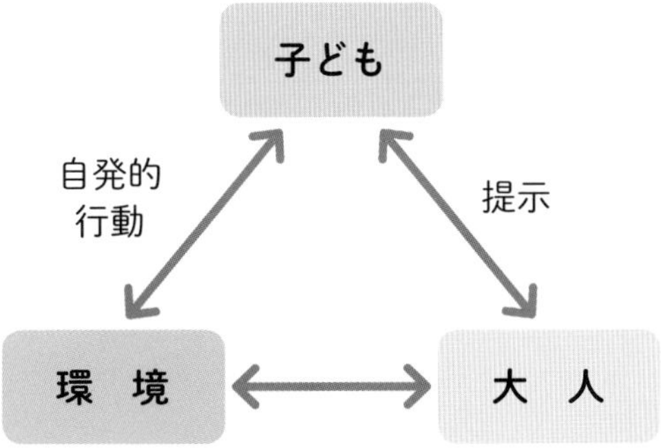

物的環境・人的環境

子どもと環境、そして大人が相互に
必要な関わりをする

「教具」と「おもちゃ」の違い

子どもの力を伸ばすモンテッソーリ教具ですが、モンテッソーリ教具とおもちゃとはどう違うのでしょうか？

まず、おもちゃは子どもを楽しませることだけを目的としているのに対して、教具は子どもの成長を援助することを目的としています。

たとえ、親の手作りの教材であっても、しっかりとした成長への目的を持って作られることで、自由気ままに扱えるおもちゃとは次元が違うものになるのです。そんな教具ですが、手作りの際に意識してもらいたい５つのポイントがあります。

モンテッソーリ教具手作りの５つのポイント

❶ 魅力的であること

まずは子どもが手に取ってみたくなることが大切です。色は赤、青、黄色の三原色やパステル調の優しいものがおすすめです。また、できる限り本物の自然素材を使い、五感に働きかけましょう。

手を使って動かしてみたくなる、気になる音がする、手で触った感触が面白いなど、感性を刺激するものになるよう心がけます。といっても、キャラクターのシールなどを貼って、「気を惹く」必要はありません。

❷ 子どもサイズであること

教具や道具は、手の大きさに合わせた道具、背の高さに合わせた棚、椅子、机など、子どもに見合ったサイズ、重さ、力具合に配慮します。「一人でできる環境を整える」、これがすべての始まりです。

❸ 繰り返すことができる

子どもが何回も同じことを、気がすむまでできるようにしてあげましょう。そういう環境が集中力を高めるのです。どうしたら、子どもがその教具での活動を繰り返すことができるかを考えて教具を作りましょう。一人でできるようになるには、やり方を間違えてしまったときに、親や教師に注意されなくても、自分で間違いに気がつけること。間違いに気がつけるような工夫を教具の中に組みこむことも大事です。これをモンテッソーリでは**「誤りの自己訂正」**と言います。

自分で誤りに気づき、自分でやり直してやり終えることで、「できた」という達成感を味わえ、それによって自己肯定感の種がまかれるのです。

❹ シンプルであること

何をする教具なのか、ひと目でわかるように要素を絞りこみます。

一つの教具にたくさんの課題をつめこむのではなく、「ひっぱる」課題ならひっぱるだけのシンプルなものにすること。そのほうが、子どもは興味を持ち、集中して繰り返し活動します。

❺ 発展性があること

ある教具に子どもが集中し、繰り返すことで、その活動をマスターしたら、その活動と同じ系統で、少しレベルアップした教具を準備します。たとえばP.115のトングの活動をマスターしたら、P.118のようなピンセットでより小さいものつまむなど、活動のレベルを上げていきます。

知っておきたい３つの孤立化

モンテッソーリ教具を手作りするときに、次のようなことを理解していると、より効果的な教具を作ることができます。

◆感覚の孤立化

五感のうち、他の感覚を遮断することで、子どもが一つの感覚に集中できるようにすること。たとえばP.169の「雑音筒」では、筒を振って、聞こえた音だけを頼りに同じものを探します。筒の中身を見えなくすることで、視覚を遮断し、聴覚だけを孤立化して集中させる仕組みになっています。

◆性質の孤立化

子どもに識別させたい一つの性質だけを強調することで、その一点だけに集中できるように配慮します。たとえばP.160の「色合わせカップ」は、同じ形、同じ材質でできていて、唯一違うのは、色だけです。そうすることで子どもは色だけに集中して、同じ色のカップを探して合わせることができるのです。

◆困難性の孤立化

難しい部分だけを取り出して孤立化し、何回もゆっくりその活動を繰り返すことで上達できる配慮のことです。たとえば、服を着たままボタンをはめることは、子どもにはとても難しいことです。ボタンの練習をさせる際は、P.140の「ボタンでとめる」教具のように、子どもには難しいボタンでとめる活動だけを取り出すことで、子どもは机の上で、ゆっくりと、何回もボタンをはめる練習をすることができるのです。

ステップ5
［提示］

子どもの敏感期に見合った環境を整え、手作りの教具を並べたとしても、子どもがその教具とどう関わったら良いのかわからなかったら、教具も宝の持ち腐れになってしまいます。

そこで、大切になってくるのがモンテッソーリで言う「提示」もしくは「提供」というものです。

P.31のモンテッソーリの三角形をもう一度見てください。

子どもと大人の間の矢印に「提示」と書いてあります。大人がその教具を実際に使って見せてあげる、それが提示です。子どもに教具の使い方を提示することで、子どもと環境の橋渡しをするのが大人の役割なのです。

提示までの手順

❶ 子どもを「お仕事」に誘う

「○○ちゃん、お母さんとこのお仕事してみる？」と誘います。お仕事といっても強制するものではありません。子どもの意志を尊重しましょう。

❷ 教具の名前を伝える

「これは洗濯ばさみのお仕事よ。いつもここにあるからね」と伝え、やりたくなったら次回は自分一人でできるように置き場所を教えておきます。これには終わったら戻す場所を示しておく意味もあります。

❸ 行う場所を指定する
「洗濯ばさみは机の上でするお仕事です。机のところまで運びましょう」と言って、場所を定着させます。

❹ 教具を運ぶ
「洗濯ばさみのお仕事はこうやって運ぶのよ」と、運び方を見せることも提示になります。

❺ 子どもの利き手側に座る
子どもの利き手側に座って提示をすることで、手元の細かい動きまでしっかりと見せることができます。

子どもに何かを教えるときに最悪の位置関係は「対面」です。

対面で手の動きを伝えると、子どもから見るとすべて逆になるからです。５歳前までの子どもは、反対側になり代わって考えることができないのです。大人は無意識に対面で教えてしまいがちですので注意しましょう。

※子どもが集中し始めたら姿を消す！
提示を終えて、子どもが活動を始めたら黙って見守ります。そして、集中が深くなり、何回も繰り返すようになったら「集中現象」(P.119)の訪れです。邪魔をしないように親は静かに姿を消しましょう。

椅子をそっと下げて子どもの斜め45度後ろに下がることで、子どもの視界から消えることができます。子どもがやり方がわからないときには、姿を現し、「お手伝いしようか？」と声をかけましょう。

提示での言葉がけ「3つのM」

部屋の環境も整え、手作りの教具も揃えました。しかし、これだけでは子どもはどうやってその教具に関わっていけばいいかわかりません。

P.31でお話したモンテッソーリの三角形のように、子どもと環境を結びつける必要があります。それを提示して見せますが、その際に、私どもモンテッソーリ教師が活用している技法があります。それが「3つのM」です。

とても効果的な言葉かけですのでぜひ使ってみてください。

3つのM

「見ていてね」のM

「待っていてね」のM

「もう一度やるから見ていてね」のM

その❶ 見ていてね

「最初はお母さんがやってみるから、見ていてね」と言って、やって見せます。このときの注意点は以下の2つです。

1つ目は**「ゆっくりやる」**ということ。子どもが視覚でとらえる速さは**大人の8倍スロー**だということを覚えておいてください。

2つ目は**「見せるときは話をしない」**ということです。子どもは2つのことを同時にすることが苦手です。話しながらやって見せると、子どもはお母さんの話と動きと、どちらに注意を向けていいかわからなくなってしまいます。

その❷ 待っていてね

やって見せていると、子どもは途中で手を出してきます。

しかし、ここで譲ってはいけません。「今はお母さんがやっているから、待っていてね」と伝えます。そして、子どものやりたい気持ちがマックスになった状態で、「お待たせしました。○ちゃんの番ですよ。やってみる？」と誘いましょう。

その❸ もう一度やるから見ていてね

一度やって見せただけでは、初めてのお仕事では子どもはうまくできずに、失敗することもよくあります。すると親は、「ここはこうやってやるのよ！」と手を出したり、「あー、そこそこ、ダメダメ」と言葉で修正したりしてしまいがちですが、これは一番やってはいけないことです。子どもにもプライドがあります。頭から否定されると傷つきます。そして、言葉で言われても、なぜうまくいかなかったのか理解できないのです。

このようなときは、「もう一度やるから見ていてね」と言って、もう一度最初から同じことをやって見せるのです。

決して「訂正しながら、教える」ことをしてはいけません。**「教えながら、教える」**のです。

特に子どもが難しいと感じている動きは、意識してゆっくりとやって見せることが大切です。

手作り教具と、３つのＭの提示で素敵な親子関係を築きましょう。

子どもに提示したけれど「やらない」と言われたら

あくまで子どもの意志を尊重します。

「わかりました。また今度やりましょうね」と答えます。

本当にやりたくないこともあれば、何となく気が向かないときもあるからです。

しかし、この活動がわが子の成長段階に合っているかどうか疑ってみる必要はあります。やりたがらないのは、もしかしたら、簡単すぎるからかもしれません。逆に、難しすぎるからかもしれません。

もう一度、わが子を観察することが始めましょう。

「世の中にあるすべてが宝の山」

さて、手作りの教具の作成に取りかかる前に、教具の紹介順の見かたを説明しておきましょう。まず、敏感期ごとに大きく分かれています。さらに月齢ごとに分かれています。月齢はあくまで目安です。わが子の活動をよく観察して、敏感期にマッチする教具づくりにチャレンジしましょう。同じ動きでも、少しずつ難しいものにステップアップできるように、本書の中では、動きの流れに合わせて教具を順番に紹介しています。ですので、月齢順になっていない部分があります。

たとえば、P.93以降の「はめこむ」の活動は、細かく分析するとP.94、95、96の3つの教具は、「力をこめてつめこむ」動きなのに対して、P.97、98の２つの教具は「形を合わせてはめこむ」動きなのです。

このように動きを「分析」して見ることができるように、よくわが子を観察してみましょう。

この本に紹介されている教具はすべて一例で、材料も一つの目安でしかありません。皆様が様々な工夫をこらして、オリジナルの教具を生み出してください。

教具を作ることを通して、親がわが子の成長に対して興味を持ち、一緒に成長していくことがホームメイド・モンテッソーリの本当の目的です。

そうした目で見ると、世の中にあるすべてが宝の山に見えてきます。私もモンテッソーリ教師の学校に通っていたころは、毎日帰り道に100円ショップやホームセンターに立ち寄り教具のヒントを探していました。

手作りの教具にわが子が集中して取り組んでいる姿の美しさ、生きる力の気高さに感動することを保証します。子どもにとっての敏感期は、親にとっても宝の期間なのです。ぜひ、楽しみましょう！

2章

0歳から始める
モンテッソーリ教育

「出産～１歳」大事にしたい おうちの中の４つのコーナー

赤ちゃんは、生まれてから世の中のことを「秩序」づけて、すごい勢いで吸収していきます。

そんな秩序に敏感な０歳のときに大切なことは、まさにホームメイド・モンテッソーリでおうちの環境を整えることです。

おうちの中を４つのコーナー（①授乳　②おむつ交換　③運動　④睡眠）にわけることで、秩序が整い、「いつもと同じ・いつもと同じ順番」で、赤ちゃんの心はとても安定してきます。

＊詳しくは『０～３歳までの実践版 モンテッソーリ教育で才能をぐんぐん伸ばす！』（三笠書房）も参照してください。

また、次ページの写真のように、４つのスペースがきっちりわけられなくても大丈夫です。それぞれの場所を決めておくだけでも、赤ちゃんの心が安定します。

秩序の敏感期にある子どもにとって、部屋の模様替えや引っ越しなどの大きな環境の変化は、大きなストレスになります。せっかく築いた秩序が、一夜にして変わってしまうわけですから。

やむなく引っ越しなどをしなければいけないときは、子どものスペースだけでも、できる限りもとの家と同じ配置にするなど、配慮してあげましょう。環境が変わると子どもが不安になることを知っていることが子育ての助けになります。

出産前からモンテッソーリ教育に出合えたことは本当に幸せなことです。ぜひ、ご夫婦で学ばれ、豊かな子育てをしていきましょう。

出産前から準備できるモンテッソーリ教具もたくさんあります。ホームメイドで赤ちゃんをお迎えする環境を整えてあげましょう。

授乳のコーナー

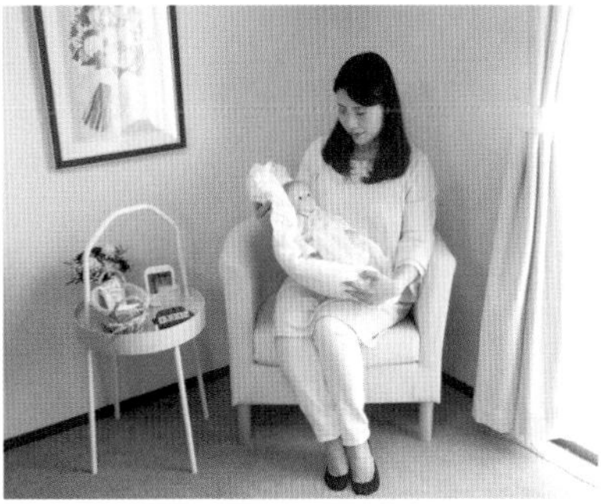

ゆったりと座れるひじかけのある椅子。赤ちゃんとお母さんの愛情が深まる場所です。必要なモノも近くに置いておきましょう。

おむつ交換のコーナー

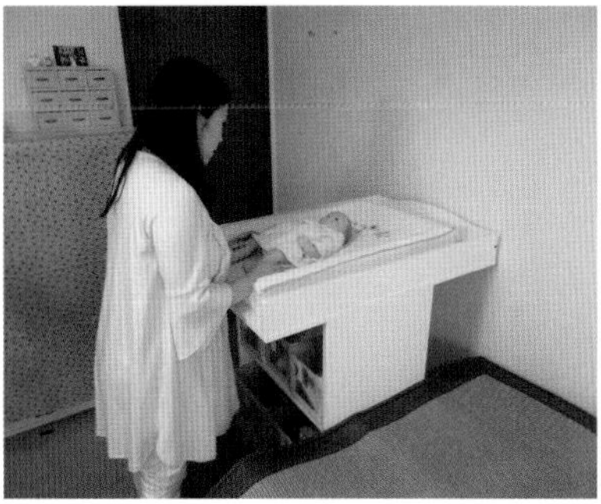

適切な高さのものを用意しましょう。同じ場所でおむつ交換をすることで、赤ちゃんはこの場所をおむつを替える場所として認識し、腰を上げるなど、次第に協力してくれるようになります。

運動するコーナー

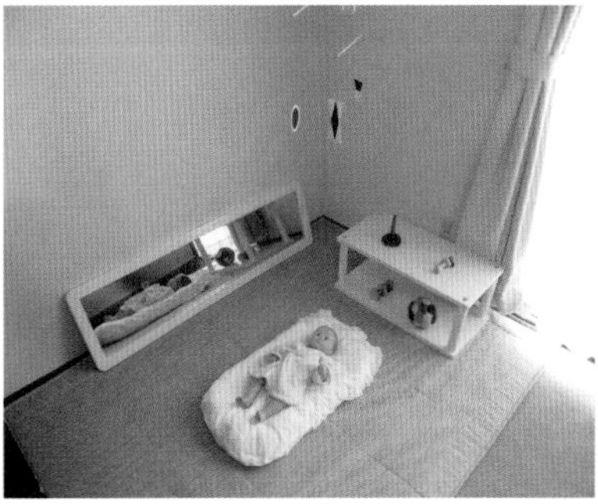

赤ちゃんが目覚めているときには運動するコーナーに連れてきてあげましょう。頭上にモビールがあると、目の焦点を合わせる運動ができます。

睡眠コーナー

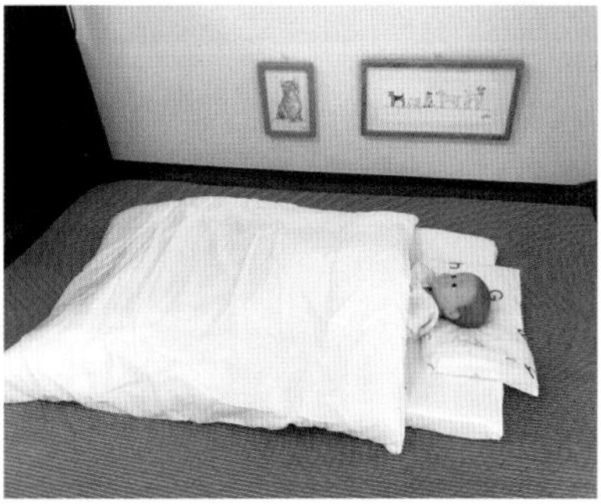

家族の写真や素敵な絵画など、いつも見慣れたものがあることが大事。夜は暗く、朝はカーテンを開けて明るくなど、昼と夜の違いも体感させましょう。

赤ちゃんが安心する魔法の「トッポンチーノ」

生まれたばかりの赤ちゃんは視野がせまいので、お母さんの声、におい、感触などをたよりに日々成長していきます。

よく、お母さんが抱っこしているときはニコニコしていた赤ちゃんが、お父さんにバトンタッチしたとたん泣き出したりすることはありませんか？

また、もう寝たかな～と思って布団で寝かせようとすると途端に泣き出したり……。

これはそれまでのお母さんの感覚との違いを敏感に感じ取るためです。

そんな「いつもと同じ」が大事な「秩序の敏感期」の赤ちゃんのためにご用意いただきたいのが、「トッポンチーノ」です。モンテッソーリ教育に基づいて作られた「イタリア風お布団」といえば良いでしょうか？

出産前からお母さんがトッポンチーノを枕代わりにして寝ていれば、お母さんのにおいがたっぷりつきます。そのトッポンチーノを、寝かせる際もベビーカーでの移動も抱っこする際も使うようにします。

そうすると、たとえ場所が変わっても、お母さん以外の人が抱っこしても、お母さんのにおいや背中に受ける感触が一緒なので、赤ちゃんは安心します。いつもと同じが大好きな「秩序の敏感期」を味方につけた逸品です。

裁縫が得意な方は自作しても良いですし、キットや完成品も販売されているのでそちらもご紹介しておきます。

２人目の出産時にも使用すれば、今度はお兄ちゃんお姉ちゃんがお世話できるので、赤ちゃん返りを軽減する効果も期待できます。

001

イクメンパパのマストアイテム

0歳〜

トッポンチーノ

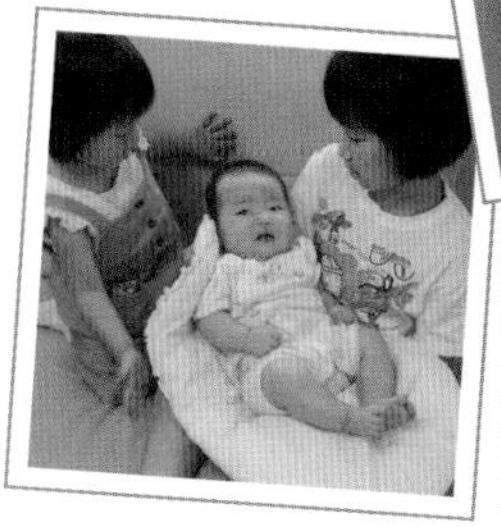

材 料

- 布、中綿ともにオーガニックコットンが望ましい。
- 型紙（下記）
- 綿布（本体・カバー）
- 中綿（１ｍ×１ｍ）
- レース（ギャザー入り・80㎝程度）
- しつけ糸

作り方

本体は中綿の入れ口を20㎝程残して外周をミシンで縫い、ひっくり返します。中綿を入れて平らに整えたら、入れ口を縫ってふさぎます。本体と綿が分離しないように５カ所程度糸を通して止めます。同様にカバーをミシンで縫い、頭のほうにレースをつけます。

キット
販売店舗

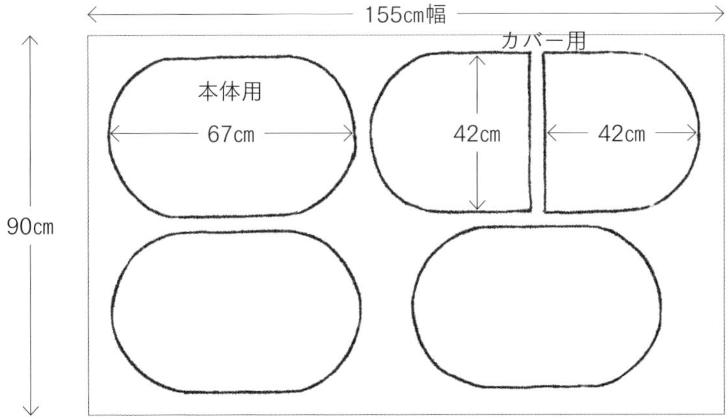

※図のサイズ表示は、周囲１㎝の縫いしろが含まれています。

目の焦点を合わせる練習！
「ムナリモビール」

生まれたばかりの赤ちゃんは、30㎝くらい先のところにしか目の焦点を合わせることができません。なぜならば、お母さんのお腹の中は真っ暗だったからです。また、色彩もはじめはカラーではなく、白と黒の区別しかつきません。そのため、赤ちゃんは生まれてすぐから、モノに焦点を合わせる練習を始めるのです。

そこで、準備してあげたいのが、風にゆられるモビールです。

オルゴールつきでぐるぐる回る「メリー」は、生まれたばかりの赤ちゃんにはうっとうしく、回転が速すぎて目で追うことができません。

モンテッソーリ教育に基づいて作られた「ムナリモビール」は、白黒のコントラストがはっきりしていて、最初のモビールに最適です。

ぜひ、作ってあげてください。

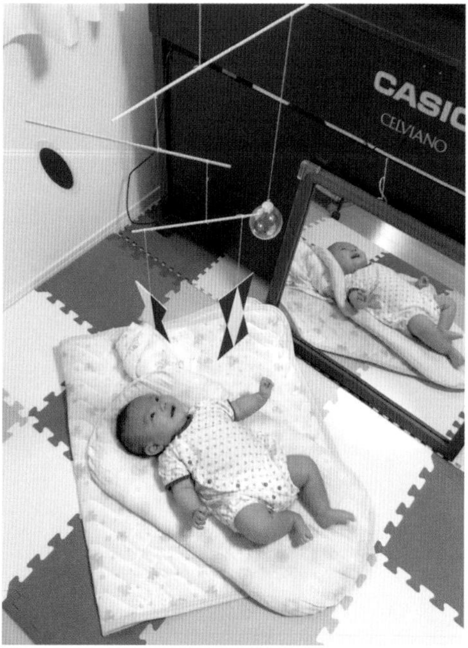

002 生まれたばかりの赤ちゃんもニコニコ！

0歳～

モビール

材　料

- ラミン丸棒（18㎝、30㎝、36㎝）各１本ずつ
- ししゅう糸
- ボール紙（図形を型に合わせて切る）
- ガラス球（なければバランスがとれるもので良い）

作り方

1 型紙をダウンロードしてボール紙に貼り、形にそって切り取ります。

2 上に小さな穴を開けて糸をとおし、ラミン棒と結びます。バランスをとるのが難しいですが、ぜひチャレンジしてみてください。

切って作れる台紙

動画でよくわかるモビール

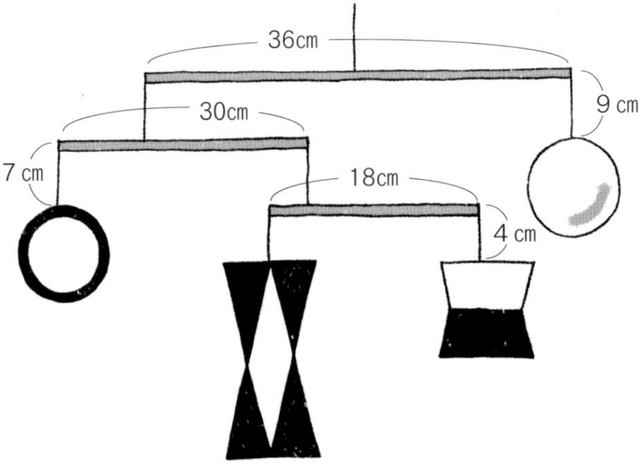

人間の進化の始まり「握る」

左下の写真は、「キャンディスティック」という、モンテッソーリ教育に基づいて作られた「にぎにぎ」です。布（９㎝×５㎝程度の長方形）を筒状にして縫い、裏返したら中に綿や米などを詰め、両端を絞って縫います。中に小さな鈴など音がするモノを入れても良いでしょう。

安全性はもちろん、衛生面も考えて、複数作っておき、傷んだモノはドンドン捨てるようにしましょう。また、市販されている木製のはちみつ棒も最適な教具になります。

６カ月を過ぎるころから、握ったものを「はなす」「持ちかえる」など、様々な活動を楽しむようになります。

手を使うことは人間の進化のすべての始まりです。ぜひ、握る体験を心ゆくまでできる環境を準備してあげましょう。

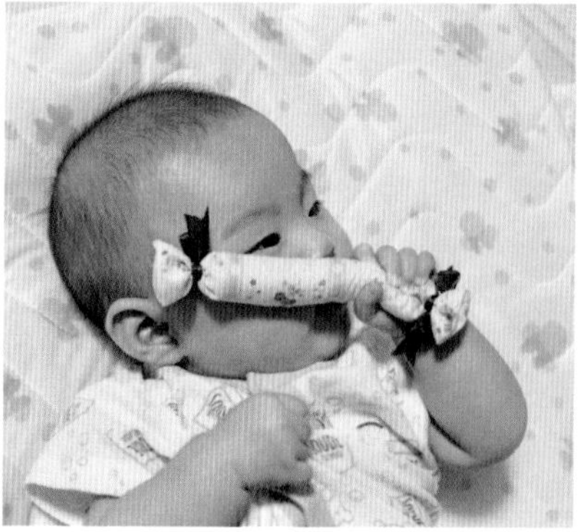

キャンディスティック

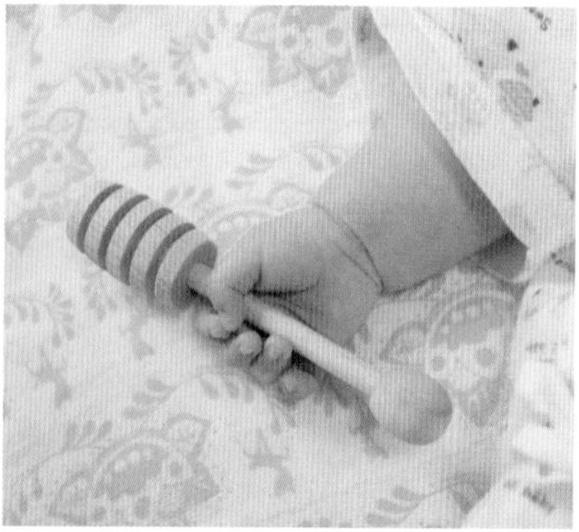

はちみつ棒

003

赤ちゃんが初めて手を使う練習

0歳～

にぎにぎ

敏感期 ▶ 運動の敏感期

材料

- 透明なホース（内径2.5㎝程度）
- プラスチック鈴
- ビーズ（ホースの内径に合うもの）

作り方

1 ホースを７㎝にカットし、片方にプラスチック鈴をフタをするように入れる。

2 次にビーズを入れ、反対側にもプラスチック鈴を入れ中身が出ないようにしっかりと入れこむ。

TIPS

生後２、３か月の赤ちゃんは、しきりに手指を使って「握る」運動をします。原子反射という、生まれながらに持つ生きる力です。様々な感触のモノを握らせてあげましょう。赤ちゃんの小さな手で握れるのは５㎜～２.５㎝くらいの細さです。振ると音がするモノも興味を惹きます。この時期に一番感覚が鋭いのは口の中なので、何でも口に入れて確かめようとします。赤ちゃんにとってモノをなめることも大切なお仕事なのです。取り上げてしまいたくなりますが、できる限り満足するまでなめさせてあげましょう。

「0歳児の棚」が自立をうながす

赤ちゃんは生まれた直後から、寝返りをうち、生後半年もするとズリバイ、ハイハイ、つかまり立ちをするまでになります。このときの助けになるのが「棚」なのです。

ズリバイのときは、棚の1段目に、赤ちゃんが思わず触りたくなるような教材を2～3個並べておきます。布のボールなど、コロコロ転がるものがおすすめです。ボールを追いかけるうちにハイハイが上手になります。

ハイハイができるようになったら、2段目に思わず手に取ってみたくなるような教具を2～3個並べておきます。すると2段目に手を伸ばし、それがやがて、つかまり立ちへとつながっていくのです。

なぜ、2～3個なのでしょうか？

それは、赤ちゃんに自分で選択する力をつけてほしいからです。人生は選択の連続です。自立の第一歩は赤ちゃんのころからすでに始まっているのです。

さらに、赤ちゃんは目標を定めてハイハイしていくようになります。そして、つかまり立ちができたときに、体全体を使って喜びをあらわします。親も子も嬉しい瞬間です。

安心してつかまり立ちができる環境を準備してあげましょう。

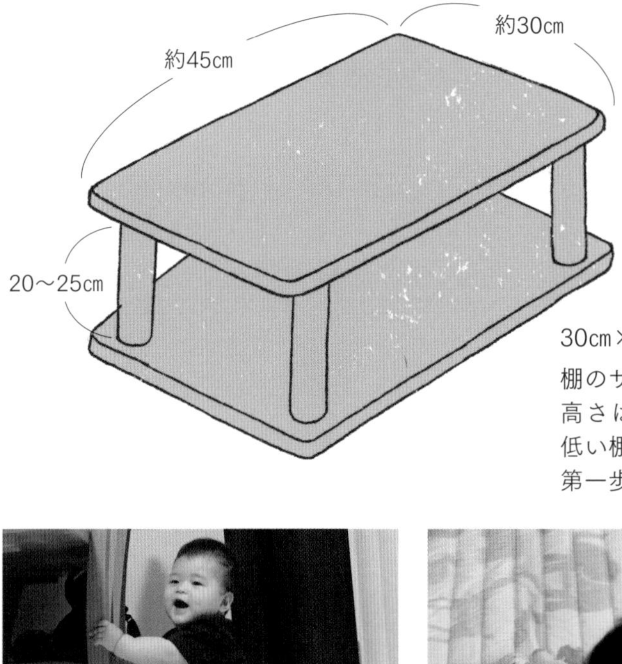

動画でよくわかる
0歳児の棚

30㎝×45㎝程度
棚のサイズは自由ですが、高さは20〜25㎝程度に。低い棚がつかまり立ちの第一歩になります。

立ち上がれた喜び！

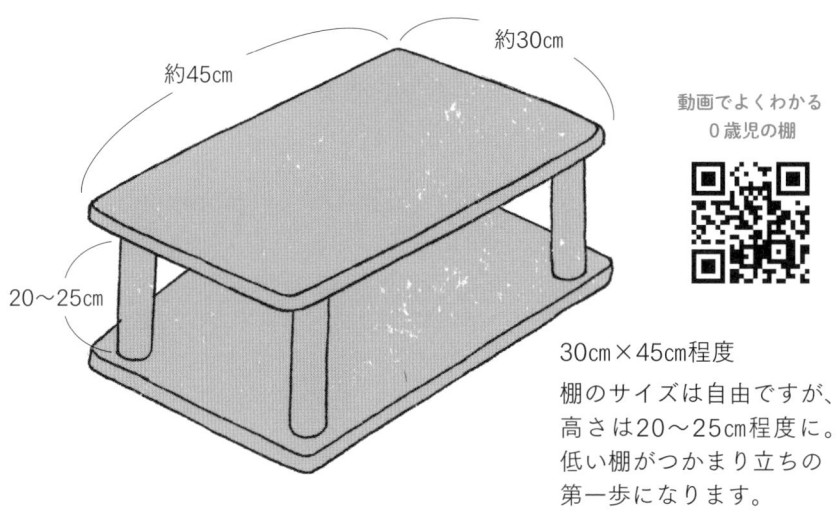

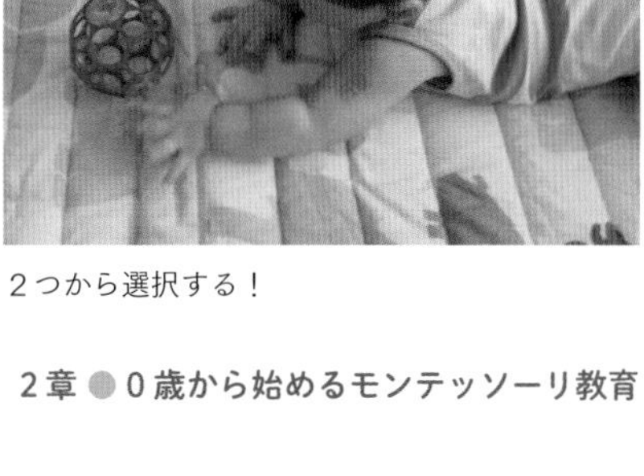

2つから選択する！

3章

子どもの才能を
ひき出す
手作り教具

3歳で子どもは大きく変化することを知りましょう

P.20でお伝えしたように、3歳を境に子どもは大きく変化します。その変化に合わせて、手作り教具や家庭環境も、変えていく必要があるのです。

0～3歳で大切な3つのこと

では、何から始めれば良いのでしょうか？

世の中には様々な教育法があり、様々な専門家の意見がありますが、ここでは0～3歳のときに知っておくべき3つのことをお伝えしておきます。

❶ 立ち上がり、歩く

❷ 手指で自由に道具を使う

❸ 言語を吸収する

たったこれだけです！　この3つを丁寧に習得するだけで十分なのです。逆に先を急ぎ、早期教育に走り、この3つをおろそかにすれば、先々伸び悩むことになってしまうのです。

人間は二足直立歩行ができるようになった唯一の生物です。立ち上がることによって、手指が自由になりました。そして、手指をたくさん使うことにより脳が発達したのです。そして、直立に立ち上がることによって、咽頭（いんとう）が縦になり、喉（のど）にスペースができました。これにより人間は言語を操ることができるようになったのです。立ち上がり、歩くことで、手が自由になり、言語を話せるようになった。ですから、私たちの育児もこの順番を守っていくことが大切なのです。

3～6歳で大切なこと

子どもの成長は３歳を境に質が変わるのですが、２歳半くらいから徐々に変化は始まります。それまでは見たもの、聞いたものを無意識にすべて吸収していたのですが、３歳ごろから、その情報を「はっきり、くっきり、すっきり」わけたい、理解したいという強い衝動に駆られるようになります。これが「感覚の敏感期」です。視覚・触覚・聴覚・嗅覚・味覚の五感を独立して活用するようになります。

３歳以降は、０～３歳で身につけた13の基本となる動きと、五感をフルに活用して、日常生活を送る練習をしていきます。

子どもの成長段階はめまぐるしく変わります。また、手指を使うことでも、様々な活動があります。本書では、以下の13の動きにわけています。

0～3歳までに身につける13の動き

①落とす　②たたく　③ひっぱる　④とおす　⑤そそぐ
⑥はめこむ　⑦はさむ　⑧ねじる　⑨うつす　⑩切る
⑪貼る　⑫掛ける　⑬とめる

これらすべてが、わが子がこの先、生きていくために必要な動きなのです。この本ではこれらの13の行動の変化にわけて、それぞれの年齢、活動に合う教具をご紹介していきます。

モノを何でも落とすのは
いたずらなの？

落とす

1歳前後の赤ちゃんのいる親御さんから、「テーブルの上にあるものを何でも床に落とすんです。手に持ったものも何でも投げてしまい困っていますが、この先大丈夫でしょうか？」といった質問をとても多くいただきます。

私たち大人は、地面に置かれていないモノが、下で支えられていないと、重力で地面に落ちるという物理的なことを、あたりまえのように知っています。

しかし、赤ちゃんはそうした物理的な法則を知りません。なので、自分の手を離れたモノが、地面にすごい勢いで落ちることが、大変な驚きなのです。そして、そのモノが落ちたのが、自分の行為に起因することに大きな満足感を感じるのです。だから、何回も繰り返すのです。

モノを投げられるようになればその満足感はより大きなものになります。さらに「ガチャン」などと音がすれば喜びはさらに倍増するのです。決して、いたずらでお母さんを困らせようとして行っているわけではないことをわかってあげましょう。

落としても大丈夫、投げても安全な教具を手作りしてあげましょう。「落とす」と「投げる」ということを何回も、安全に繰り返し経験することで、手が思いどおりにどんどん動くことを知ります。そして、どんどん上手になっていきます。そのきっかけになるのが、これからご紹介する手作り教具なのです。

自分が納得するまで心ゆくまで行うことで「神様からの宿題」を終えれば、子どもは満足し、次の宿題に取りかかります。

次ページ下の図をご覧ください。「落とす」という一見単純な運動に見えますが、その中身はどんどん進化しています。モンテッソーリ教育を理解すると、わが子の進化が手に取るように見えてくるのです。

P.58からの教具を見るとわかるように、まず最初は、クルミやピンポン玉など大きなものを、大きな穴に落とすという活動から始まります。このときの手に注目してください。この段階では手のひらいっぱいに落とすモノを握っているはずです。

次はドングリやビー玉など少し小さなものを指先で「つまむ」ようになります。手のひらから３本指に変わってきているのです。もっと手が自由に動くようになってくると、さらに細いストローなどをつまみ、小さな穴に落とすことができるようになってきます。さらに、緻密な活動ができるようになり、楊枝のような細いものを、小さな穴にねらいをつけて落とすことができるようになるのです。

教具を手作りすることによって、このようなわが子の進化を発見でき、親もわが子もワクワクすることができるのです。

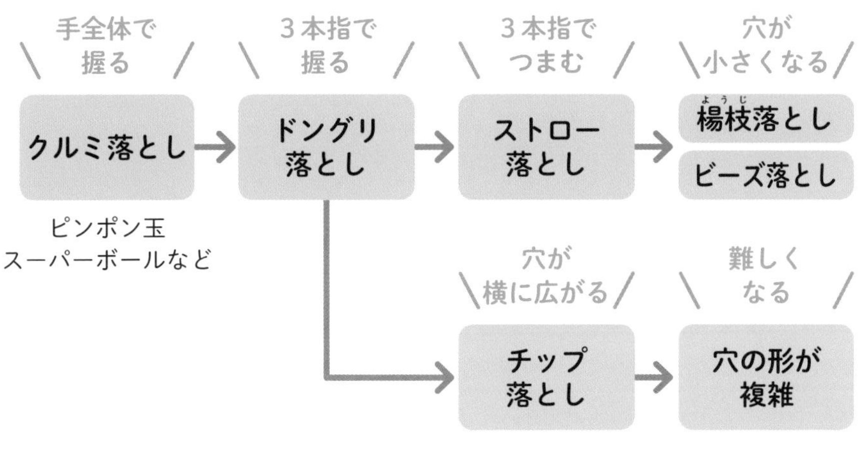

004 落とすという初めての体験はここから！

6カ月～ クルミ落とし

敏感期 ▶ 運動（握る・離す・落とす）の敏感期

TIPS

クルミを手に持ち、手をその穴に入れて、クルミを離して落とす活動です。落としたときに良い音がするものがおすすめです！　ピンポン玉などに取り換えるのも良いでしょう。子どもが全部入れ終えたら、一つずつ取り出して、缶の中に落ちて見えなくなったけれども、入れたモノがなくなったわけではないことを示します。この繰り返しでモノの永続性（次ページ）を理解していきます。

この月齢での、手の握り方に注目してください。手全体を使ってモノを握っているはずです。月齢が上がると３本指で、小さなものをつまめるようになります。

必要なモノ

- ミルク缶
- カバー用の布（なくても良い。またはミルク缶のまわりにテープを巻く）
- クルミ　10個位（ピンポン玉でも可）

作り方

ミルク缶にカバーをつけ、クルミやピンポン玉を用意。

COLUMN

モノの永続性

私たち大人は「モノは捨てられたり破壊されたりしない限り、ずっと同じ場所・空間に存在するものだ」ということを知っています。

これをモンテッソーリ教育では、「モノの永続性」と言います。

しかし、赤ちゃんは目の前にあったモノが見えなくなると、そのモノが世の中から完全になくなってしまったと思うのです。

１歳未満の赤ちゃんが、お母さんが見えなくなると、火がついたように泣くのはこのためです。

トイレに行くとき、「すぐ帰ってくるからね」と言っても理解できないのがこの年代の赤ちゃんなのです。

逆に、目の前のモノが一瞬見えなくなり、なくなってしまったと思ったのに、それが再び現れると大喜びします。その代表が「いないいないばあっ！」なのです。ケタケタ笑い、何度でも要求してきます。

そして、そのような体験を繰り返してたとえ目の前から見えなくなっても、そのモノは失われないという「モノの永続性」に気づいていくのです。

手作りのモンテッソーリ教具にも、こうした子どもの習性を取り入れることで深い意味を持たせることができます。

ボールを穴に落とすとボールは見えなくなります。でも下の引き出しを開けるとそこにはボールがある。このような教具を作って、わが子の驚きと喜びを一緒に体験しましょう。

ホームメイド・モンテッソーリだからこそ得られる体験ですね。

005

一番人気の手作り教具は超簡単！

1歳半～　コイン落とし

敏感期 ▶ 運動（入れる・落とす）の敏感期

TIPS

木製のコインやプラスチックのチップを、貯金箱に入れて落とすという単純な「お仕事」ですが、子どもには大人気の「お仕事」です。うまく入れられると、スッとコインが消え、コトンと音がする。底のフタを開けると、消えたはずのコインが現れる。これが前ページの「モノの永続性」の理解へとつながります。私はこの「お仕事」を子どもとする度に、自分の幼少期、当時住んでいた自宅の階段にできた隙間にコインを入れて楽しんでいたことを思い出します。

大好きな活動を、心ゆくまで何回もさせてあげたいものです。

必要なモノ

- 貯金箱
- 木製コイン（プラスチックのチップでも可）
- トレイ

006

小さな穴に狙いが定まるようになってくる

1歳半～ ストロー刺し

敏感期 ▶ 運動（落とす・刺す）の敏感期

TIPS

ストローを穴に入れて落とす活動です。これも子どもたちに大人気の「お仕事」です。最初はうまく入れられないかもしれませんが、繰り返すうちに上手になっていきます。手の先にストローという道具があるので、この活動ができるようになったら、「目と手が連動」するようになってきた証拠です。ストローの長さは10㎝くらい、同じ色のものをそろえると良いでしょう。ストロー刺しが上手にできるようになってきたら、より細く、より穴が小さくなる、P.62の楊枝刺しに移行していきます。

必要なモノ

- シェイカー
- ストロー（10㎝）　10本
- ストローを入れておく器
- 穴開けポンチ

作り方

1 シェイカーのフタの真ん中に穴開けポンチ（5㎜）で穴を開ける。

2 ストローを10㎝の長さにカットしてコップに入れておく。

007

食卓にある当たり前のもので目と手が連動

1歳半～

楊枝(ようじ)さし

敏感期 ▶ 運動（細いものをつまんで刺す）の敏感期

TIPS

ストロー刺しが上手にできるようになったら、ストローより細い楊枝(ようじ)を、より小さな穴に刺す活動に移行します。対象が小さく、細くなるにつれて集中力が要求されるようになります。

楊枝は10本程度用意し、先がとがっていて危なければ、はさみなどですこし切って丸くしておきましょう。

楊枝刺しが上手にできるようになってきたら、P.82の「ひもとおし」、そしてP.85の「縫い刺し」の「お仕事」へと移行していきます。

必要なモノ

- 楊枝入れ（穴が一つのもの）
- 楊枝入れ
- 楊枝　10本

とがっているので注意

003

手をつぼめて小さなものをつまめた喜び！

1歳半～ ビーズ落とし

敏感期 ▶ 運動（小さいものをつまんで落とす）の敏感期

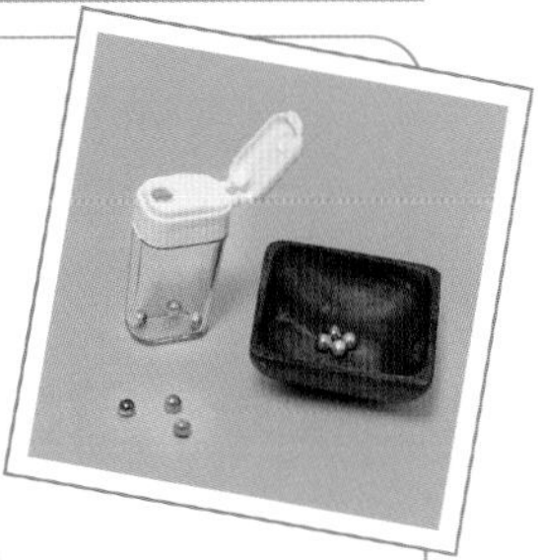

TIPS

小さなものを手指でつまんで、花瓶に落とす活動。入れた瞬間が見えて、落ちたときに素敵な音がすることが子どもの興味を惹きます。

この教具は、親指、人差し指、中指を使うために、手をつぼめて小さなものをつまむ必要があります。こうした「手をつぼめる」動きは人間ならではのもので、これができるようになって初めて、箸や鉛筆といった道具を器用に使えるようになるのです。右上の写真のように、調味料入れを使えばお出かけ用教具のできあがり。外出時のちょっとした合間に、こんな教具で集中することができます。ぜひ、様々なモノをつまんで、落とす体験をさせてあげてください。

必要なモノ

- 花瓶
- ビーズ10個
- ビーズを入れる器

［お出かけ用］

- 調味料入れ
- ビーズ10個
- ビーズを入れる器

誤飲に注意

009

「追視」する力が養われます！

1歳半～ ビーズ落とし（クルクル）

敏感期 ▶ 小さいもの（つまむ・落とす）への敏感期

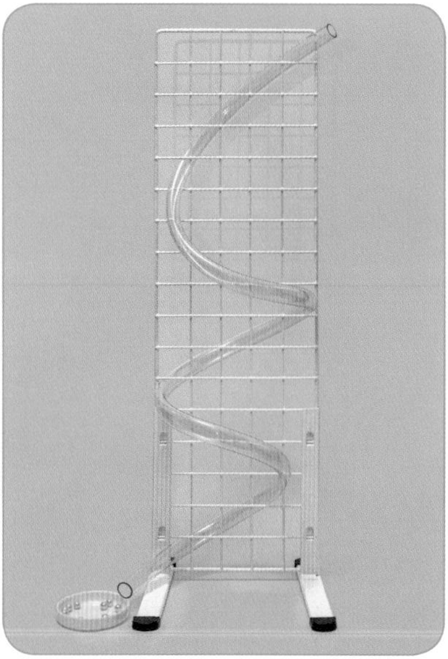

必要なモノ

- 透明のホース140㎝（内径15㎜）
- ネット（62㎝×19㎝）
- ネットを支える器具
- ビーズ　10個位（6㎜）
- ビーズを入れる皿

TIPS

立ち上がることができるようになり、「よく動くようになった自分の指で、小さなものをつまんでみたい。そして、それを細い管の中に入れてみたい」と思う時期が1歳半くらいから、やってきます。

ホースにビーズを入れると、ビーズがクルクルと回りながら下に落ちていく。その動きに感動して何回も繰り返します。そして、それを目で追うことにより、目（追視）の力も養われます。小さい石などをつまんで、マンホールの穴に落としたりしていたら、この教具の出番です。ホースを長くして、部屋の壁をはわせることで、距離を長くしたり、動きを発展させることもできます。ぜひ、親子でいろいろな動きを試してみてください。出てきたビーズをしゃがんで拾うという動作を繰り返すことで、足腰、体幹も鍛えられます。

目と手が一緒に動き、
手首の力のコントロール力もつく！

たたく

1歳をすぎて両手が自由になってくると、道具をしっかり握って使えるようになってきます。親指と他の4指が向かい合うことで、霊長類だけが棒状のモノを力強く握れるようになったのです。これを「母指対向性」と言います。

自分の手で振った棒が、モノに当たり、その感触が手に伝わり、「ゴン」と音がする。こんなことが、子どもにとっては大きな発見なのです。

たたくという行為は、目と手も一緒に動かし、手首の力をコントロールする必要があります。この動きができるようになると、やがて、両手にバチを持って太鼓をたたけるようになり、木琴など、他の楽器へも発展していきます。

たたく狙いが正確になってくると、トンカチで釘を打つこともできるようになります。4歳をすぎるころには、本物の木に釘を打つこともできるようになり、様々な制作活動へと発展していきます。

大人になっても「たたく」という行為は必要です。この時期に身につけた技術は一生の伴侶になります。

ぜひ、教具で「たたく」活動ができる環境を整えてあげましょう。

手でモノを握る		道具を握る		両手のバランス		微妙な力加減
モノをたたく	→	**太鼓をたたく**	→	**両手でたたく**	→	**トンカチでたたく**
		目標物をたたく		打楽器に展開		制作活動に展開

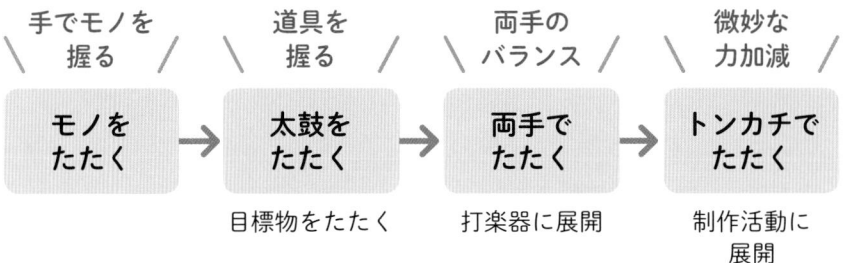

010 飲み終わったミルクの缶で、素敵な太鼓作り！

2歳～ 太鼓

敏感期 ▶ 運動（たたく）の敏感期

TIPS 飲み終えたミルクの缶を使って、このような素敵な太鼓を作ることもできます。

バチは最初は片手でたたきます。

月齢が上がってくると、両手でたたく姿を「提示」することで、徐々に両手も使えるようになってきます。子どもの手の動きに注目してあげてください。

太鼓だけでなく、カスタネット、鈴なども身近に置いてあげましょう。動きだけでなく、聴覚、リズム感も磨かれます。

必要なモノ

- ミルク缶
- ひも
- 合皮
- カラーテープ
- スリコギ

作り方

1 ミルク缶にカラーテープを巻き、張りつける。合皮をミルク缶の底より直径5㎝大きくカットする。

2 合皮の縁に等間隔で穴を開け、ひもをとおし、縛る。ミルク缶の縁を合皮でカバーし、上下のひもを交互にとおし結ぶ。

011 幼少期の体験が将来の制作活動に発展！

2歳半～ トンカチでたたく

敏感期 ▶ 運動（たたく）の敏感期

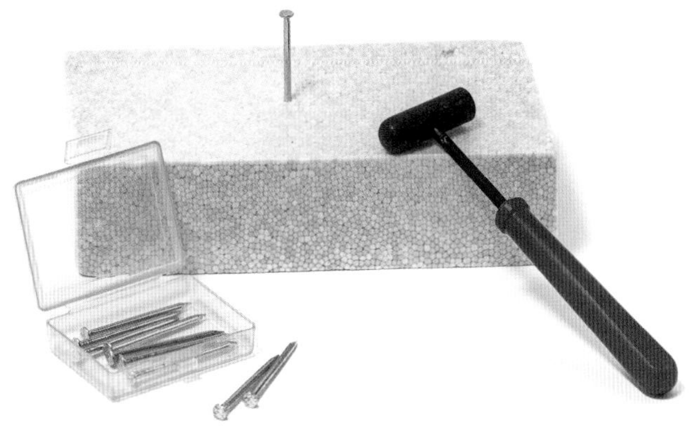

TIPS P.96の「ティー刺し」P.109の「ドライバー」などの活動のように道具がしっかり持てるようになってきたら、この教具に移行します。

トンカチは子どもサイズのものにしますが、先はプラスチックなどではなく、金属のものを探しましょう。本物の道具を持つ感触は子どもの集中力を高めます。

最初は、釘を支えている指を打つといけないので、大人が釘の先の部分を発泡スチロールに刺して、立ててから打ち始めさせると良いでしょう。これは、特に男の子に大人気の「お仕事」です。

4歳以降に、力強くたたくことができるようになったら、本物の木に移行します。

必要なモノ

- 発泡スチロール
- 釘（4㎝）
- トンカチ（子どもサイズ、先は金属製ですが、重すぎないもの）
- 釘を入れるケース

COLUMN

楽器・音楽の素晴らしさ

太鼓の教具が出てきましたので楽器の話をしておきましょう。

３歳くらいになると「感覚の敏感期」が訪れ、五感の中の聴覚がとても敏感になります。

「絶対音感」は６歳までに適切なレッスンを受けなければ、それ以降どんなに努力しても身につかないというのは有名な説です。これも、６歳までの子どもの耳の敏感期がなせる業なのです。

この時期は、太鼓、鈴、ギター、ピアノなどの本物の楽器から発する音が、人工の電子音とはまったく違う、ということを知っておきましょう。

ＣＤ、テレビ、スマートフォンなどから発せられる音源とは違う、本物の楽器による振動を、この時期にはたくさん聞かせることが大切です。

また、左右の手指がそれぞれ別の動きをできるようになってくるのが３歳以降です。楽器を演奏するには、左右の手指を独立させて動かさなくてはいけません。

手指のレッスンという視点だけでなく、手指を繊細に動かすことは、脳神経細胞に刺激を与え、活性化させます。

そうした視点からも、幼少期に楽器に触れることは、貴重な体験になると言えるのです。

手とモノの連携が大きな発見！

ひっぱる

手でモノを握ることができるようになると、次は「ひっぱる」活動が始まります。

握って手をひくと、それにつれて他のモノが動く。手とモノのこの連動が子どもにとってはとても大きな発見になるのです。

ティッシュペーパーやトイレットペーパーをズルズル引き出すのは、こうした活動をしたい強い衝動の現れだったのです！　そして、これは世界中のこの年代の子どもに見られる活動です。

子どもは気持ちがいいから、何回も繰り返します。

繰り返すからどんどん上手になっていくのです。

単なるいたずらでかたづけてしまわず、子どもには心ゆくまでさせてあげたいものです。

手作りの教具を準備して、いろいろな種類のひっぱる活動をたくさんさせてあげましょう。

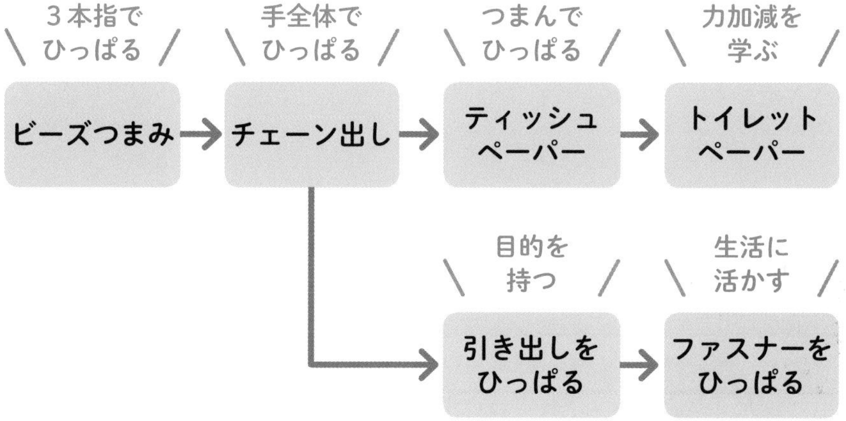

012 つまんでひっぱってみたいという強い衝動をかなえる

6ヵ月～ ビーズひっぱり

敏感期 ▶ 運動(つまむ・ひっぱる)の敏感期

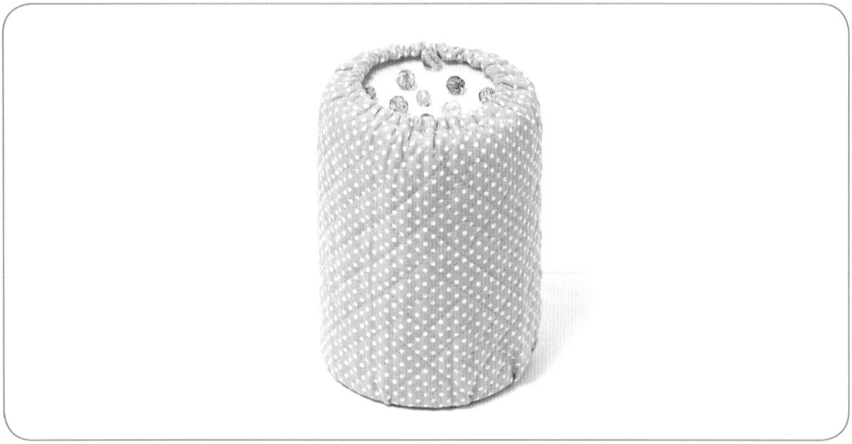

TIPS

授乳中、赤ちゃんから、腕やお腹の肉をつまんだりひっぱったりされて痛い思いをしたことはありませんか？赤ちゃんは、お母さんにいたずらをしているわけではありません。指先を使いたくてムズムズしているのです。「運動の敏感期」の始まりですね。

このような教具があれば、赤ちゃんは自分の指でつまんで、ひっぱる感覚を何回も味わうことができるのです。手を離すとポンと音がするのも、赤ちゃんが興味を惹く点です。

必要なモノ

- ミルク缶
- ビーズ
- 細ゴム(２㎜×50㎝)

作り方

1 ミルク缶のフタに何カ所か穴を開ける。細ゴムにビーズをとおす。

2 表はビーズをとおし、裏は玉留めをする。何カ所か同じようにビーズをつける。

(布カバーはなくても可)

013 さらに小さいものをつまむ・ひっぱる！

6ヵ月～ ひもひっぱり台

敏感期 ▶ 運動（つまむ・ひっぱる）の敏感期

TIPS

運動の敏感期にある赤ちゃんが何でもひっぱるのは、自分の指でつまみたいという好奇心の現れです。

このような教具で実際につまんで、ひっぱることを体験できれば、その好奇心を満たすことができます。

木の台はひっぱっても動かない、重めの木で作ったほうがいいですね。様々なひもの色も赤ちゃんの視覚を刺激します。

必要なモノ

- 木製の箱（木の枝で台を作るのも可）
- カラフルなひも　数本（太さは５㎜程度、長さは20～30㎝位）

作り方

1 木製の台にドリルで穴を開けてひもをとおす。

2 ひもの両端を結んで抜けないようにする。

014 大人気！　体を使って大きくひっぱる！

1歳～ チェーンひっぱり

敏感期 ▶ 運動（ひっぱる・出す）の敏感期

TIPS 自由に動くようになってきた自分の手と体を使って、何でもひき出したいという強い衝動に駆られるのが「運動の敏感期」です。

お母さんのカバンの中から何でもひっぱり出し、お財布のクレジットカードなども全部出してしまうのはこのためなのです。そんな子どもに大人気なのが、この「チェーンひっぱり」です。ひっぱるとチェーンが出てきて、おまけにゴトゴトと音も鳴る、そしてひき出すときの手に伝わる感触もまた子どもにはたまらないのです。

このような教具で、ダイナミックにひっぱり出させてあげることで、体を大きく使う力がついてきます。

必要なモノ

- 円柱形の味噌タッパー
- チェーン　2m（太さ2㎝）
- カーテンリング　2個
- カッター
- 布のカバー（なくても可）

作り方

1 味噌タッパーのフタに穴を開け、チェーンをとおす。

2 チェーンの両端にカーテンリングをつけ、ひっぱり出しても抜けないようにし、フタをする。

015 いたずらの定番も、手作り教具に大変身！

1歳～ ティッシュ出し

敏感期 ▶ 運動（つまむ・ひき出す）の敏感期

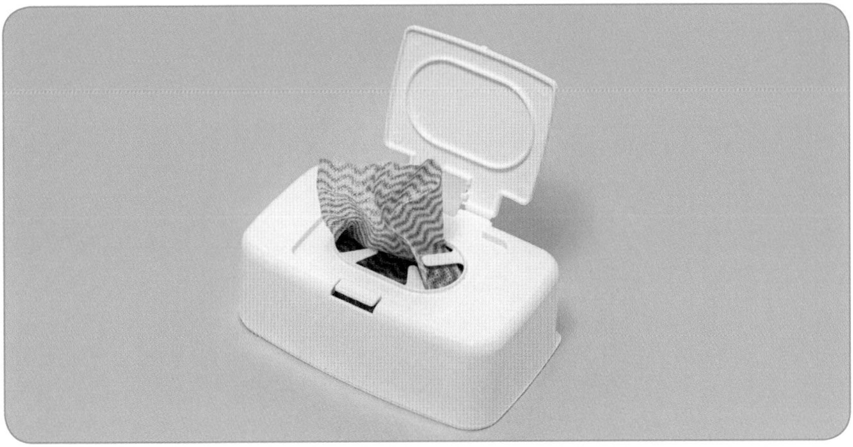

TIPS

赤ちゃん大好きNO1のティッシュ出しです。動かせるようになった自分の手指を使ってティッシュを上手につまんで、ひっぱり出します。何回も繰り返すことでどんどん上手になっていく自分に感動を覚えていきます。このような活動が「自己有能感⇒自己肯定感」へとつながっていくのです。

親が敏感期を知らないと、単なるいたずらと見て、ティッシュの箱を取り上げてしまいますが、そうすると「神様からの宿題」ができなくなってしまうのです。このような何回も使える手作り教具を準備してあげれば、赤ちゃんも、お母さんもニコニコですね！

必要なモノ

- お尻拭きケース
- 使い捨てフキン 20枚程度

作り方

使い捨てフキンを15㎝×15㎝にカットし、重ねてケースに入れる。

016 よく動くようになった手と腕をもっと使いたい！

1歳～ トイレットペーパー出し

敏感期 ▶ 運動（ひっぱる）の敏感期

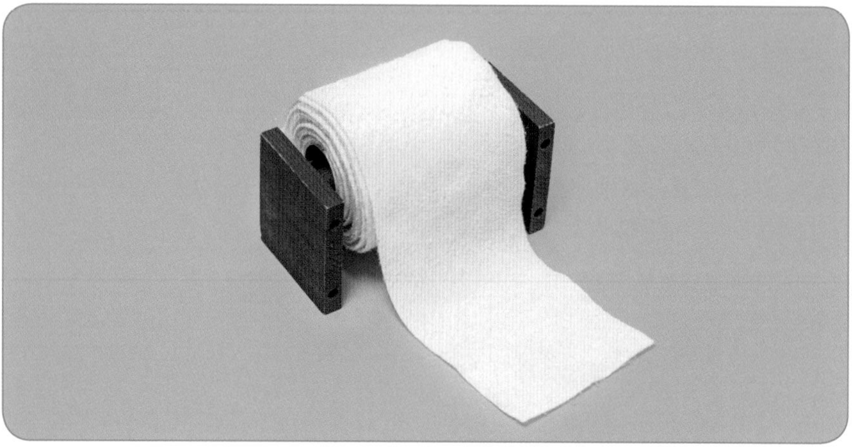

TIPS 「トイレットペーパー出し」も「ティッシュ出し」とならんで、この時期の子どもの定番活動です。

よく動くようになってきた手と腕を上手に使って、トイレットペーパーをひきまくります。

カランカランと音などすれば、なおのことご機嫌です。素早くひき出すことで、動きにスピード感が出てきます。

必要なモノ

- 白いフェルト（11㎝×3m）
- トイレットペーパーの芯
- マスキングテープ置き（木製）

作り方

1 トイレットペーパーの芯にフェルトを巻きます。巻き始めはガムテープなどでしっかりとめておきます。

2 フェルトを巻いた芯を、100円ショップにもある、木製のマスキングテープの台にとおします。

017 考える力は1歳から育ちます

1歳〜 3つの引き出し

敏感期 ▶ 運動(つまむ・ひき出す)の敏感期

TIPS 引き出しをやたらとひっぱり出すのもこの時期です。自分でひき出すことができ、その中のモノも出すことができるのがとても楽しいのです。ポンポンをどの引き出しに入れるか、ゆっくりと見せてあげます。そして、引き出しを開けると、そこにポンポンがあることを提示します。引き出しに入れて見えなくなったものが、同じ場所から出てきた。これがP.59の「モノの永続性」です。慣れてくると、自分でひき出すことで、入れた引き出しにしか、ポンポンが入っていないことを確認し、納得するようになります。

「自分で立てた仮説が、当たった」という考える力の始まりです。

必要なモノ

- 調味料ケース（3連・透明でないもの）
- ポンポン　1個

誤飲に注意

018 何回もひっぱることで洋服を着る練習を！

1歳半～ ファスナー

敏感期 ▶ 運動（ひっぱる）の敏感期

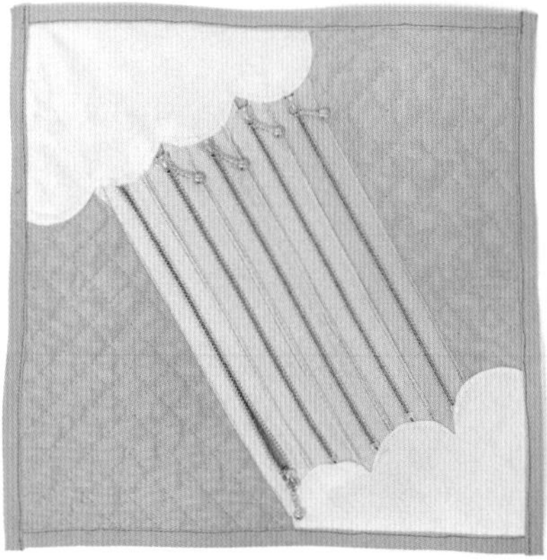

TIPS

ひっぱるとジーっと音がして開くファスナーも、子どもの興味の対象です。服を着てやるのは、子どもには難しく、なかなかできません。そこで、最初は布の上に縫いつけてしまうことで、外れることなく何回もファスナーの開閉を楽しむようにできるのです。

これがP.34の「困難性の孤立化」です。やがて自分でファスナーを開閉し、服を着ることができるときが来るでしょう。

こうした教具によりスモールステップス（P.122）を経ることで、ひとりで生きていける力を養っていきましょう。

必要なモノ

- 手芸用ファスナー　5本（長さ20cm位）
- ファスナーを縫いつける布

作り方

手芸用のファスナーの両はじを布の上に縫いつける。

集中力を生み出す源

とおす

目と手が連動するようになり、狙いが定まるようになってくると、小さな穴にとおしてみたいという、強い衝動に駆られるようになります。

落とす活動の「ストロー刺し」、「楊枝刺し」の延長に、「ひも通し」の活動があります。

最初は固定された棒にモノをとおすことから始まります。次に、左右それぞれの手を違う目的で動かしながら、とおすようになります。これができるようになると、さらに、緻密な活動になり、針と糸を使って「縫い刺し」ができるようになります。

「縫い刺し」は、この年代の子どもたちに大人気の活動で、繰り返すうちにどんどん正確さが増し、難しい課題にチャレンジするようになります。

現代社会では縫う経験などする機会が少なくなりました。ぜひ、手作り教具を準備してあげましょう。

とおす運動の応用として、藤井聡太棋士が数百個作ったという「ハートバッグ」や、編み物の活動があります。考えてとおすことが集中力を高めることにつながります。

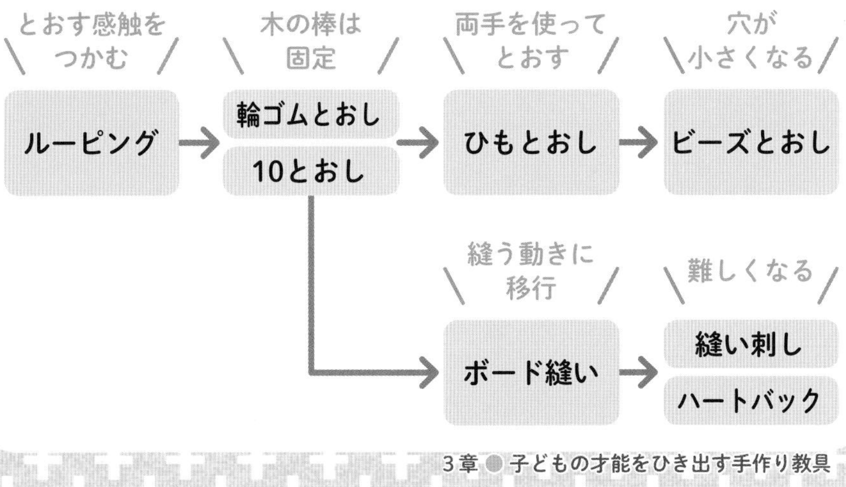

019 初めてのとおす体験も手作りで！

6カ月～ ルーピング

敏感期 ▶ 運動（とおす）の敏感期

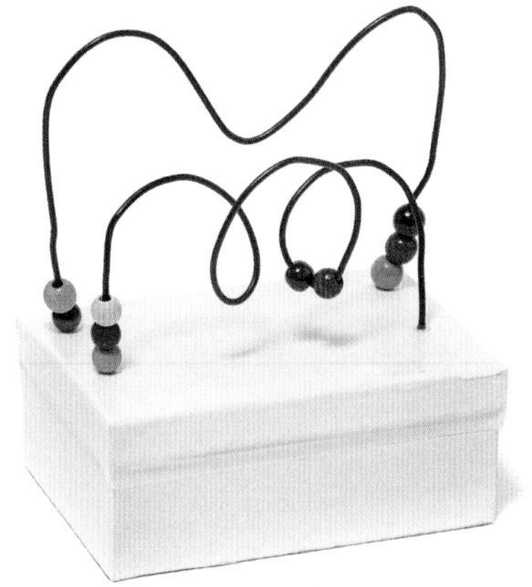

TIPS

市販されている人気教具「ルーピング」も簡単に手作りできます。

ビーズを自由に動かすことができ、しかも針金から外れることがありませんので、「とおす」の一番初めの教具にピッタリです。

ビーズが針金をとおるときに手に伝わる感触や音など、すべての刺激が、子どもの感覚を磨くきっかけになるのです。

必要なモノ

- 箱
- 針金（太さ５㎜、長さ約１ｍ）
- ビーズ（針金の穴に合わせて）

作り方

1 箱のフタにドリルで穴を開け、太めの針金でループを作りとおします。

2 フタの裏側で針金の先を折り曲げ、抜けないようにして、ガムテープでとめる。下箱を裏返し、底を上にする。針金をとおした上箱を下箱にはめ、上から針金に圧力をかけた状態で箱のまわりをガムテープでとめると、針金がグラグラしない。

020

固定された棒にとおす！　まずはここから！

1歳半～　髪ゴムとおし

敏感期 ▶ 運動（とおす・開く）の敏感期

TIPS

キッチンペーパーホルダーに髪ゴムをとおす活動です。ホルダーは動かないので、両手で髪ゴムをとおすことができます。最初は左の写真のようなサイズが大きな髪ゴムを用意します。輪投げの輪のようにストンと落とすことができます。この活動がうまくできるようになったら、次は右上の写真のようにサイズが小さい髪ゴムを用意します。ホルダーにとおすにはゴムのサイズが小さいので、両手で広げながらとおすことが必要になります。感覚の敏感期が訪れると、色別にわけてとおすなどのこだわりが現れます。

そのような傾向が現れたら、P.81以降の感覚の敏感期の手作り教具を並行して準備します。このように、同じ活動を繰り返しているように見えても、その精度は上がり、使っている能力も変化しているのです。

必要なモノ

- キッチンペーパーホルダー
- 髪ゴム　10個（サイズの違うもの）

021 とおす活動をしながら、10を体感していく

1歳半～ 10とおし（大）

敏感期 ▶ 運動（とおす・刺す）の敏感期

TIPS

穴に狙って刺してとおす活動。切ったプールスティックを柱にとおすときの感触も大切です。

感覚の敏感期が現れると、色ごとにわけてとおす姿が見られるようになります。ペーパータオル台はほど良い大きさと高さがあるので、腕の発達にも良い手作り教具です。

「提示」（P.30）で数を数えながらとおしていくことで、「10」を意識することができるようになります。

これができるようになったら、次は次ページのように小さなビーズへと移行していきます。

必要なモノ

- プールスティック（直径6.5㎝）
- ペーパータオル台

作り方

プールスティックを2㎝程度の厚さにカットする（ペーパータオルの芯の長さから逆算して、10枚になるように。3色あるとなお良い）。

022 感覚の敏感期と重なり、選ぶ力も養う

2歳～ 10とおし（小）

敏感期 ▶ **運動（とおす・刺す）・感覚（分類する）の敏感期**

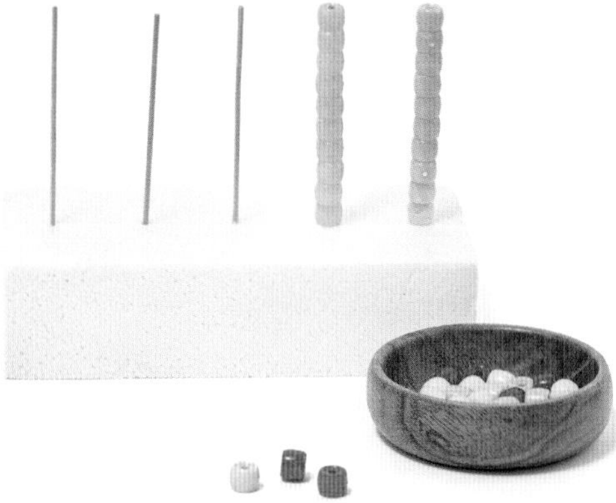

TIPS

小さなビーズをつまみ、竹串にビーズの穴を合わせてとおす教具です。

感覚の敏感期も同時に訪れているので、5色のビーズを色ごとに分類して、同じ色のビーズを竹串に刺していきます。ビーズの穴のサイズが小さくなるので集中力がより必要になります。

この活動ができるようになったら、「ひもとおし」（次ページ）に移行します。この段階では、数の敏感期にはまだ至っていませんので、数を教えこんではいけません。とおし終わったビーズを数えて、「10だね！」と伝える程度にとどめておくことが大切です。

必要なモノ

- 発泡スチロール（10㎝×20㎝程度）
- 竹串　５本
- ビーズ５色（８㎜程度・穴の大きさが竹串に合うもの）
- ビーズを入れる器

作り方

1 発泡スチロールに印を均等につける。

2 印をつけた箇所に竹串を５本刺す。

023 両手を違う目的で使う！

2歳～ ひもとおし

敏感期 ▶ 運動（とおす）の敏感期

TIPS

子どもの集中を呼びこむ、人気の教具です。利き手でひもを持ち、反対の手でビーズを持ってとおします。それぞれの手が違う動きを要求され、目と手の連動も必要になります。ひもの末端はビーズが抜けないように結び目を作っておきます。この段階ではひもは太く、かたいものが望ましいです。最初に親が3個くらい、ゆっくりととおして見せ、「○ちゃんの番よ。やってみる？」と誘います。

全部とおし終えたら、今度は1個ずつゆっくりと「抜く」活動を行います。ひもをとおすときの、わが子の集中した姿が見られることは、ホームメイド・モンテッソーリならではの醍醐味です。

必要なモノ

- ひも
  （綿・太さ１㎝程度・長さ40㎝程度）
- 玉のれん用の木製のビーズ　10個
  （３㎝程度・穴は1.5㎝程度）
- 皿、もしくはかご

作り方

ひもの端を編んでおく。

024 連結させて素敵なアクセサリーに！

2歳～ ビーズとおし

敏感期 ▶ 運動（とおす）・感覚（分類する）の敏感期

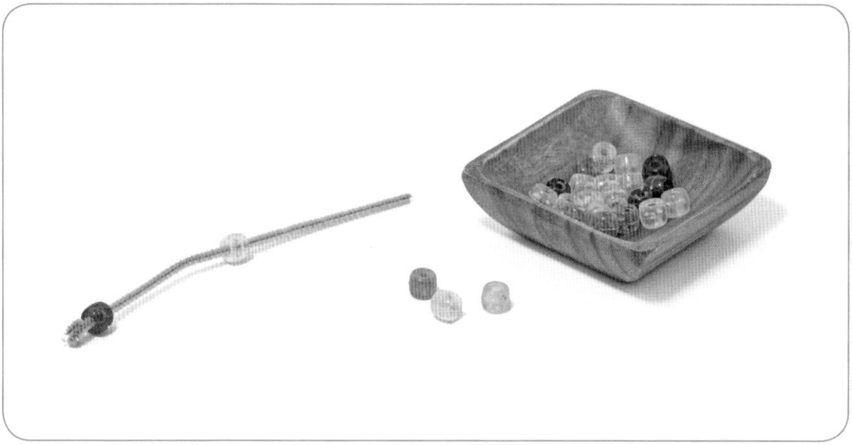

TIPS

「ひもとおし」ができるようになったら、写真のような小さなビーズに移行します。ビーズが小さくなると、つまむ力がさらに要求されます。細いひもと違って、モールは張りがあり、とおしやすいので、子どもはどんどんとおしていきます。ビーズの色は5色程度用意すると、色の異なるものを交互にとおしていくなど「規則性」が出てきます。また、美的感覚も養われてきます。ビーズをとおし終えたらはじを連結させて結び、素敵なブレスレットにしてあげましょう。

たくさん作って人にプレゼントトすることで、人の役に立つという喜びを覚える体験になります。

必要なモノ

- モール数本（20㎝程度）
- ビーズ　20個程度（7㎜程度・穴は大きめ、5色程度）
- ビーズを入れる皿

作り方

1. モールをお子さまの手首に合わせた長さにカット。
2. 片方の端をねじり、ビーズが抜けないようにする。
3. はじを連結させて結び、ブレスレットにする。

025 とおすから、縫うに発展します！

2歳〜

ボード縫い

敏感期 ▶ 運動(とおす・縫う)の敏感期

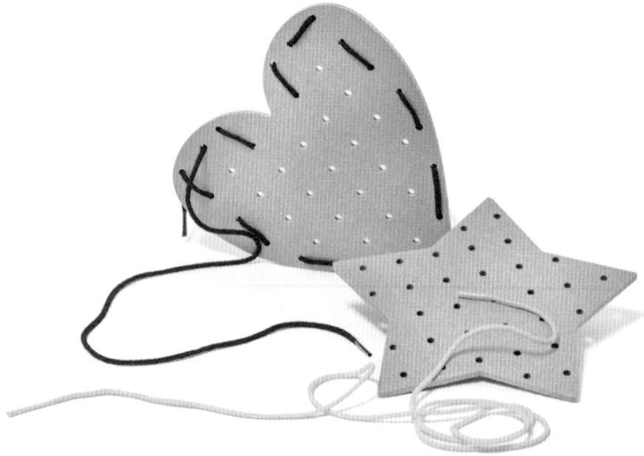

TIPS

パンチングボードの穴にひもをとおして縫っていきます。

パンチングボードはかたいので、比較的縫いやすいでしょう。ひもが刺さり、反対側から出てくるところが子どもの興味を惹きます。

最初はボードを大人が持って、穴にとおすことに集中させるとうまくできます。慣れてきたら、ボードとひもをそれぞれの手に持って縫っていきます。穴をとおしたらその都度、最後までひもをひっぱることも大切なポイントです。

出たひもを隣の穴に順次刺していくことで、連続性、規則性を理解するようになります。

必要なモノ

- パンチングボード(穴径5㎜、子どもの手で持てる大きさ)
- ひも(太さ5㎜以下・長さ120㎝程度)
  ひもの先端はセロテープなどでとおしやすくしておく

026 現代社会に少なくなった、とても大切な活動

2歳半～ 縫い刺し

敏感期 ▶ 運動（とおす⇒縫う）の敏感期

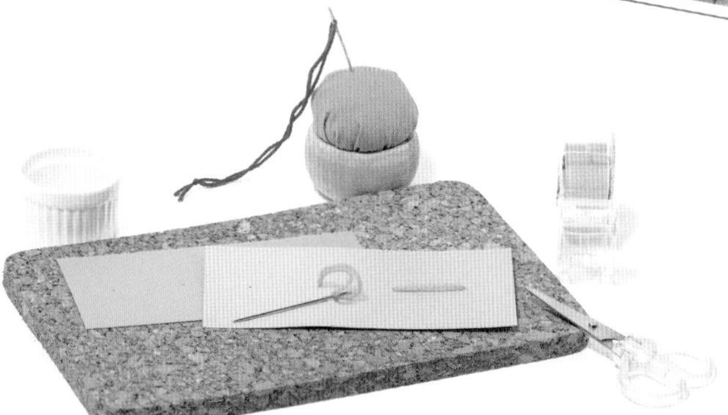

TIPS

これまでにできるようになった様々な運動を組み合わせて、一つの作品にまで仕上げます。マジックペンで紙に黒い点（偶数）を書き、そこに合わせて、穴を開けます。活動を始める前に親が針に糸をとおしておきます。最初は大人が台紙を持ち、刺すことと、縫うことに集中させます。紙に刺した針が反対側から出てくるところも興味深い点です。ただし、安全には十分注意します。針はなくなったことに気がつけるように、いつも同じ本数にしておきます。写真のように２本であれば、「どっちの色の糸にする？」と選択させても良いでしょう。まわりに他の子どもがいない環境で活動することも大切です。発展形の台紙をダウンロードできるようにしておきましたのでご活用ください。

必要なモノ

- コルクボード
- 縫い刺しの台紙（13㎝×６㎝）
- 糸　30㎝
- 針（綴じ針）
- 針山
- 糸切りばさみ
- セロテープ
- 糸くず入れ

台紙ダウンロード
縫い刺し

027 藤井聡太棋士の集中力の源？

4歳～ ハートバッグ（フェルト）

敏感期 ▶ 運動（とおす・編む）・感覚の敏感期

TIPS

藤井聡太棋士がモンテッソーリ園で100個以上作ったという逸話で有名になった「ハートバッグ」です。

写真のモノは紙ではなく、フェルトで作られているので、作った後、分解して、何回でも作ることができます。それを繰り返していくうちに仕組みが理解でき、手が勝手に動く段階までになります。スピードと正確性が増すことで自己肯定感が高まります。３本から始め、できるようになったら、４本にもチャレンジします。

藤井棋士の集中力もこのようなところから生まれたのかもしれませんね！

必要なモノ

- ２種類の色のフェルト（画用紙でも可）

作り方

1 フェルトを２つに折って上部を丸くカットする。

2 折り目側から切れこみを２本入れる。

動画でよくわかる
４本で編む
ハートバック

まずは3本でチャレンジ！

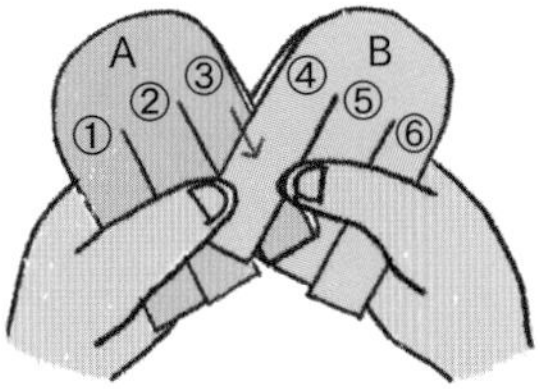

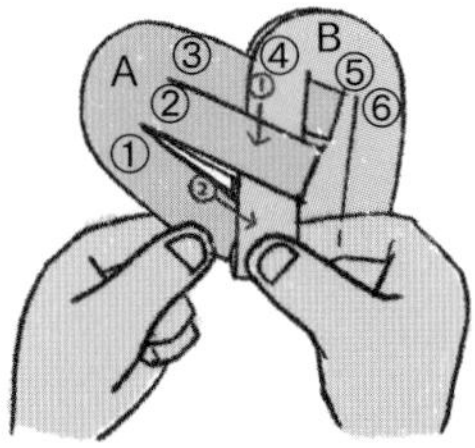

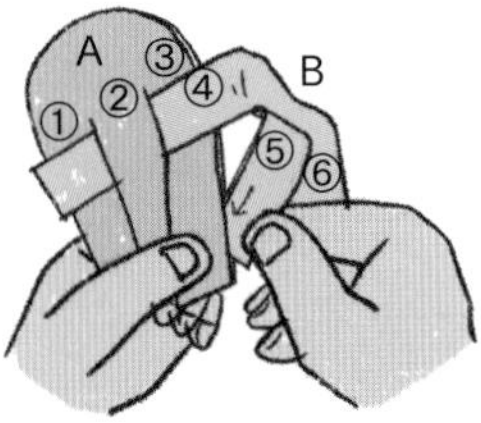

1 Aの③をBの④の輪になっている部分にとおす。

2 とおし終えたら、Bの④を同じようにAの②の輪にとおし、Aの①をBの④の輪にとおす。

3 Bの⑤をAの③の輪にとおす。

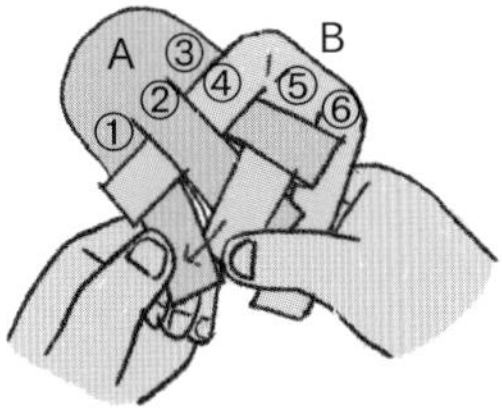

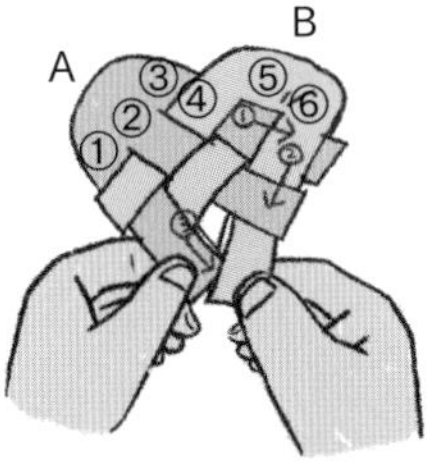

4 Aの②をBの⑤にとおし、Bの⑤をAの①の輪にとおす。

5 次に、Aの③をBの⑥の輪にとおす。Bの⑥をAの②の輪にとおし、Bの⑥の輪にAの①を通したら完成。

COLUMN

規則性に目覚める

とおす活動では、縫うお仕事を紹介しました。

どれも子どもたちに大人気で、毎日縫い刺しばかりする子どももいるほどです。子どもたちはどんどん上手になり、難しい台紙にチャレンジしていきます。複雑なお仕事をやり遂げた達成感が魅力なのだと思います。

しかし、縫い刺しには「規則性」という、彼らを惹きつけるもう一つの魅力が隠れています。

表から入れた針が裏側から出てくる。大人から見ると当たり前の原理ですが、子どもにとっては新鮮な発見なのです。そして、出てきた針を隣の穴に刺して縫っていく。決して期待を裏切らない規則性と法則性が子どもを虜にするのです。

表から裏へ、裏から表への、この繰り返しがリズムを生み、規則正しいリズムが心の安定へとつながります。

いつもと同じ「お仕事」だけれど、今日も自分はできた、昨日より早く、上手にできた。それによって、「あ～今日も僕（私）は大丈夫だ！」という自己肯定感を持つことができるのです。モーニングルーティーンのようなものですね！

そして、この規則性と法則性が数学的な考え方へと発展します。

やがて、自分で見通しをつけて、段取りを組んでいくという、生きていくのにとても大切な力へとつながっていくのです。

簡単な活動から、だんだんとステップアップ！

そそぐ

模倣期にある子どもは、何でも大人の真似をして、自分でやろうとします。

大きなミルクのパックを持ち上げて、コップにあけ、うつそうとするのもその一つ。そしてこぼしてしまって「だから、お母さんがやるって言ったじゃない！」と叱られてしまうのです。

でも、簡単な活動から、だんだんとステップアップしていけば、必ず自分でできるようになります。これが「スモールステップス」（P.122）なのです。

まず透明な小さなピッチャーと大きめの豆を用意します。これならば、失敗しても大丈夫です。

豆の大きさをだんだんと小さくしていき、こぼさずできるようになったら、最終的には液体をそそぎます。豆などでしっかりと活動していれば、目標とする線のところで止めることができるようになります。

問題なくできるようになったら、子どもサイズのピッチャーにミルクを入れてあげましょう。自分でできた喜びが次の活動につながります。

「ひとりでできるように手伝う」、これがモンテッソーリ教育の基本なのです。

＼豆粒が大きい／ **豆そそぎ** → ＼米、粒が小さくなる／ **米そそぎ** → ＼ラインで止める／ **液体をそそぐ**（最初はじょうごを使う） → ＼生活に生かす／ **花をいける**　**お茶のサービス**

028 これなら失敗しても大丈夫！

1歳半～ 小さいピッチャー

敏感期 ▶ 運動(そそぐ・ひねる)の敏感期

TIPS

小さめのミルクピッチャーに豆を入れ、利き手側から反対側にそそぐ教具です。手首をひねり、最後の1粒まであけうつすことは、子どもにはなかなか難しいもの。両方を持ち上げてうつすと失敗する確率が高くなります。トレイの上で豆が入っているピッチャーを利き手で持ち上げ、もう一方のピッチャーは持ち上げずにうつします。あけうつしが終了したら、トレイごと回転させ、必ず利き手側でピッチャーを持ち上げるようにします。中身は「粒の大きな豆→小豆→米」と、だんだん粒の小さいものに変えて難しくしていきます。うまくできるようになったことを確認して、次のステップに進ませてあげましょう。

必要なモノ

- ピッチャー　2個（深さ4㎝～10㎝程度）
- トレイ
- 粒の大きな豆(白豆など)⇒小豆⇒米⇒水

029

自制と自律が芽生えます！

2歳半～ 色水そそぎ

敏感期 ▶ 運動(そそぐ)の敏感期

TIPS

豆、米、などの固形物で「そそぐ」活動を十分に行い、こぼすことがなくなったら、「液体」に移行します。子どもが持てる大きさの透明な水さしに、食用染料で色をつけた水を入れます。ガラスのコップには、「ここまでそそぐ」というラインをテープでつけておきます。今までは固形物で量が定まっていたので、ただそそげば良かったのですが、液体は適量となったところで、自分で止めないと溢れてしまいます。これが、自分の力を自分で制する「自制」の第一歩になるのです。

子どもは動き続けることは得意なのですが、動きを止める、ゆっくり動くなどの「自制・自律」を伴う動きは練習が必要なのです。

必要なモノ

- 水さし（水を入れて子どもが持てるサイズ）
- 食用染料
- ガラスのコップ
- テープ（3㎜程度）
- スポンジ(セルロース製)（水滴を拭きとるため）
- ボール（注いだ水を捨てるため）

030 自分の活動を日常生活に生かせるようになります

2歳～ 花をいける

敏感期 ▶ 日常生活の練習（そそぐ・刺す・運ぶ）

TIPS

3歳をすぎて、自分の身のまわりのことをする「自己への配慮」ができるようになってくると、「まわりの環境への配慮」もできてきます。花をいけることも環境を豊かにする活動です。

ピッチャーに入った水を、じょうごを使って花瓶に適量うつしかえ、好みの花をいけて、両手で持って適切な場所に配置します。はさみが使えるようになれば、花の茎を適切な長さに切る作業も加わります。

このように、0～3歳までに身につけた動きを、複合して日常生活の活動ができるようになっていきます。

必要なモノ

- 花瓶3種類
- 花瓶敷き3枚
- ピッチャー
- じょうご
- 花を入れる瓶
- トレイ

幾何、立体のセンスが磨かれる大事な活動

はめこむ

子どもたちは手が自由に動くようになってくると、手に持ったモノを何かに入れてみたいという衝動に駆られます。

穴という穴に力をこめてモノを「はめこむ」ようになるのです。

これを単なるいたずらと見るのか、「運動の敏感期で神様からの宿題をしているのね！」と見るのかで、子どもの将来は大きく変わってきます。

将来、幾何や立体のセンスが磨かれるのは、この時期に手を動かし、多くの幾何、立体に触れることから始まります。ですから、満足するまで、何回も繰り返し「はめこむ」活動をさせてあげましょう。

この、はめこむ活動の延長線上にパズルがあります。

パズルのメリットは親や教師に指摘されなくても、自分で誤りに気がつき、訂正できることです。これは、モンテッソーリ教具にある「誤りの自己訂正」という要素です。

いきなり難しいパズルをさせたりせず、子どもの能力にマッチしたものを用意して、「大人は決して手伝わない」。これが一番大切なことです。

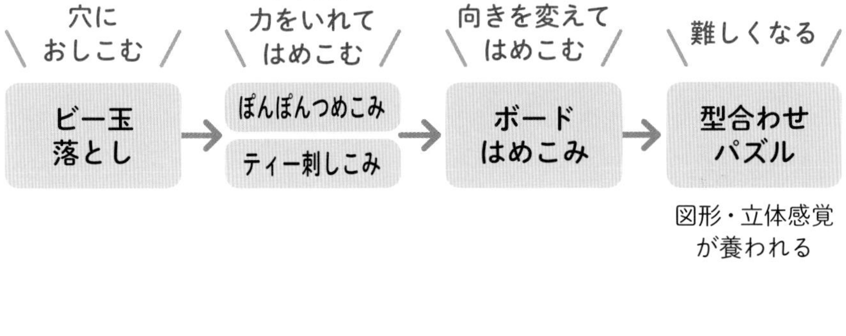

031

はめこむときに手に伝わる感覚がたまらない！

1歳半〜 ビー玉はめこみ

敏感期 ▶ 運動（つめこむ・落とす）の敏感期

TIPS

モノを指でつめこんで落とす活動。ビニール製の器に開ける穴とビー玉の大きさに注意しましょう。きつすぎても、ゆるすぎても楽しいと思えるいい感覚が残りません。子どもの力でギリギリつめこめるサイズに調整します。

ムニュっと入って、ポトンと落ちる、この感覚が大事です。子どもはこの感覚がたまらず、何回も繰り返し、どんどん上手になっていきます。指に力が入ることが、やがて鉛筆や箸使いに役にたつようになるのです。

必要なモノ

- ビニール製の器
- ビー玉　10個（17㎜）
- ビー玉を入れる器
- トレイ
- 穴開けポンチ

作り方

ビニール製の器のフタに穴開けポンチ（16㎜）で穴を開ける。

誤飲に注意

032

何でもつめこみたい！
その衝動を手作り教具で伸ばす！

2歳～ ポンポンつめこみ

敏感期 ▶ 運動（つめる・入れる）の敏感期

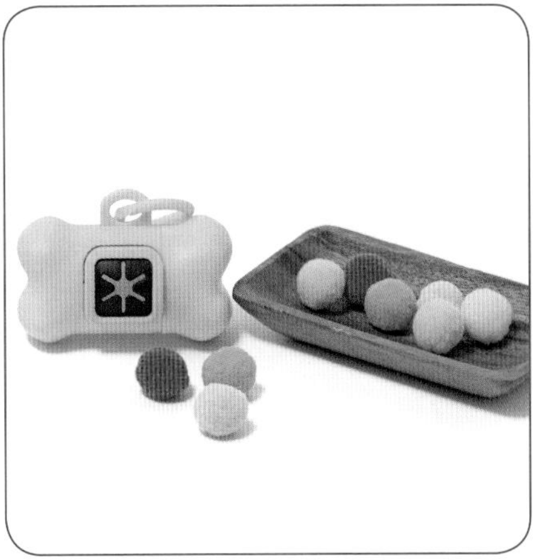

TIPS

モンテッソーリの教室では小さいモノが行方不明になることがよくあります。それは、子どもたちが穴や箱にモノを「つめて」しまうことが多いからです。この時期の子どもは、自分の指でモノを「つめこみたい」という衝動に駆られるようです。この「お仕事」も、微妙な力加減で、ポンポンを檻（おり）のようなかごにつめこむところが大人気です。右上の写真はビニール袋入れ（犬のうんち用）です。黒い穴のところがゴムのヒダのようになっているので、その穴にポンポンをつめこみます。まったく同じようなモノである必要はありません。

小さなモノをつめこみたいという子どもたちの敏感期の習性を知っていると、身近なモノを使った良いアイデアがわいてくるものです。ぜひ、オリジナルの「お仕事」を考えてみてください。

必要なモノ

● リンゴ形のモチーフやビニール袋入れなど、かごやケースになっている入れ物　●ポンポン　10個以内

033

指に力が入るようになると、
こんなこともできるように！

2歳～ ティー刺し

敏感期 ▶ 運動（刺す・押しこむ）の敏感期

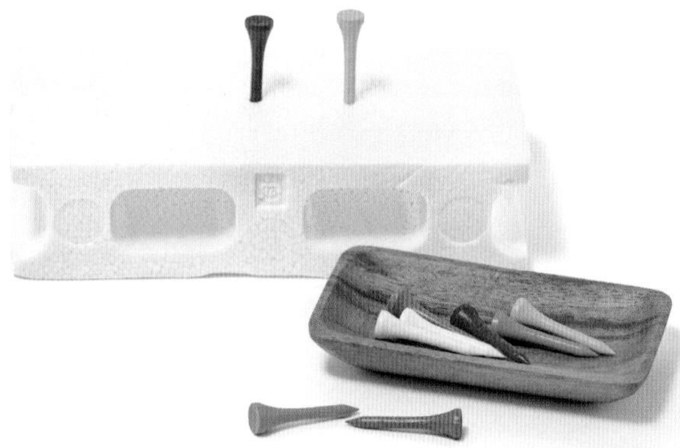

TIPS

中指、親指、人差し指の３本の指に力を入れて刺すことが目的です。子どもの手の成長を観察し、３本指に力が入ってきたころを見計らって提示します。刺したときに「ブスリ」と手に伝わる感覚に子どもは興味を惹かれ、繰り返し行います。３本指に力が入ることは、鉛筆のにぎりや、箸を使うことにつながっていきます。この活動ができるようになったら、P.67の「トンカチでたたく」活動に移行していきます。

提示のときには、「先がとがっている先っぽを、お友達に向けてはいけないよ」と、しっかり伝えます。

必要なモノ

- 発泡スチロール
- ゴルフのティー　10本（５㎝程度）
- ティーを入れる皿

034 つまんではめるが楽しくて仕方ない！

2歳〜 ボードはめこみ

敏感期 ▶ 運動（つまむ、はめこむ）の敏感期

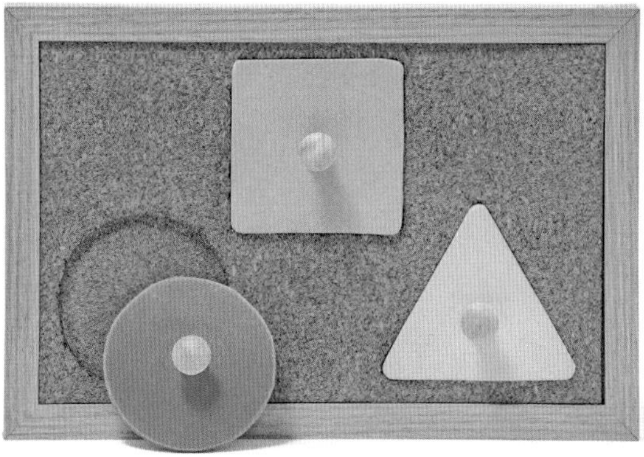

TIPS

これまでは力を入れてつめる、刺す活動でしたが、形を見てはめこむという行動も１歳頃から現れてきます。この教具はそんなはめこむ活動ができるものです。３本の指でつまみを持ち、外して、はめる。最初はつまんで外すだけということもあります。写真では○□△と形が３種類ありますが、最初は、一番簡単な○だけを提示することも有効です。

アイスキューブを使って右の写真のような、教具を作ることもできます。

フタにアイスキューブがちょうど入るくらいの穴をカッターで開ければ完成です。

必要なモノ

- コルクボード（30㎝×20㎝）
- コルクシート
- ウレタンシート３色
- つまみ

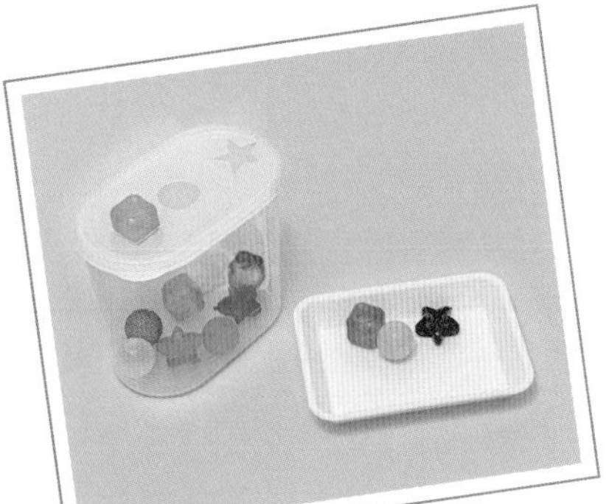

035 ピッタリはまることが、とても嬉しい時期！

2歳～ 型合わせ

敏感期 ▶ 運動(同じ形を合わせてはめる)・感覚の敏感期

TIPS

手指を使い、形を合わせてはめこむ活動です。感覚の敏感期になると、同じ色、同じ形など、「同じものを対にする活動」にこだわるようになります。このようなモチーフのケースもそんな時期に用意してあげると、立派な教具に早変わりします。まだ両手で持って合わせることができないので、ケースの底を両面テープでホワイトボードに貼ってあげるとやりやすくなります。

「秩序の敏感期」も併行して訪れているので、ピッタリとはまったことにも喜びを感じます。

できたら「すごいね～！」と拍手をして褒めるのではなく、「ぴったりはまったね！」と、きちんと認めてあげることが大切です。

必要なモノ

- ホワイトボード
- 同じ形のモチーフのケース　4個（写真とは違う形で可）
- 両面テープ

作り方

ホワイトボードにモチーフのケースを両面テープで貼る。

日常生活で必要な力はこうして育てる！

はさむ

日常生活において、はさみをはじめ「はさむ」動きは重要です。しかし、子どもにとってはその仕組みがわからず、うまく使えないものなのです。

はさむ活動は、親指、人差し指、中指の３本の指に力を入れる活動からだんだんに難易度を上げていきます。

最初は洗濯ばさみから始めましょう。提示では洗濯ばさみの開閉から、ものをはさむところまでを、ゆっくりと見せてあげましょう。

子どもの指の力でも開ける洗濯ばさみを探すことが大切です。缶やかごなどに、洗濯ばさみをたくさん入れておいてあげるだけでも、自分一人でブロックのようにつなげて遊ぶようになります。はさみも子どもサイズのものから、左利き用などいくつか種類があります。ぜひ、道具には気を使ってあげてください。

子どもの力を敏感期に伸ばすために、私ども親にできるのは、環境を整えることだけなのです。

３本指を使う	はさむ力をつける	開閉をする	生活で活かす
洗濯ばさみ →	パンチ（１つ穴）→	ミートボールトング →	はさみで切る 箸ではさむ

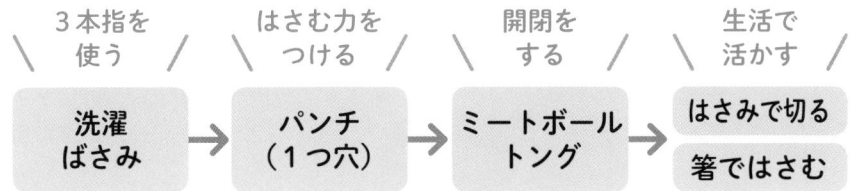

036 3本の指の力をつけるために！

2歳～ 洗濯ばさみ

敏感期 ▶ 運動（はさむ・3本指の力をつける）の敏感期

必要なモノ

- 子どもの指の力で開けるかたさの洗濯ばさみ
- 画用紙
- ラミネート

作り方

1 子どもが楽しめるような、たこや赤ちゃんのモチーフ（直径13㎝）を画用紙で作り、ラミネートする。

2 滑り止めとして、裏にフェルトを貼っておく。

TIPS

親指、人差し指、中指の３本の指の力をつけることが目的です。弱い力でも開く洗濯ばさみを選ぶことが重要です。

最初は土台と洗濯ばさみの向きを合わせるのが難しいので、お母さんが土台を持って、角度を調整し、子どもが洗濯ばさみではさめるようにします。それができるようになったら、土台も子どもが持つようにします。これではさめるようになったら、洗濯物を干すお手伝いを一緒にしてもらいましょう。この３本指の動きが、やがて鉛筆、箸を持つ手の動きへとつながっていきます。

また、日常生活に興味が出てきたら、P.100左下の写真のような針金の食器置きを活用した教具も面白いかもしれません。

このころから、「ごっこ遊び」が盛んになり、人形やドールハウスを盛んに活用するようになります。

子どもは大人の活動を模倣することで、文化に慣れ親しんでいきます。われわれ人類は生まれた地域、文化に適応することでここまで生き延びてきました。子どもは６歳までの間に、自分が生まれ落ちた地域や家庭環境に適応する必要があります。だから、まわりの大人の真似をして、その動きや振る舞いを身につけようとしているのです。

子どもにとっては、私たち親が、一番大切な環境であるということを忘れずに、真似をされても恥ずかしくない、立ち居振る舞いをしたいものです。

また、人形に役割を与えた「みたて遊び」も始まります。

自分以外の人物になり代わる大切な遊びであり、精神年齢が上がってきた現れです。ぜひ、邪魔しないように見守りましょう。

037 はさみの前段階。狙いをすまして！

2歳〜 穴開けパンチ(一つ穴)

敏感期 ▶ 運動(道具を使って穴を開ける)の敏感期

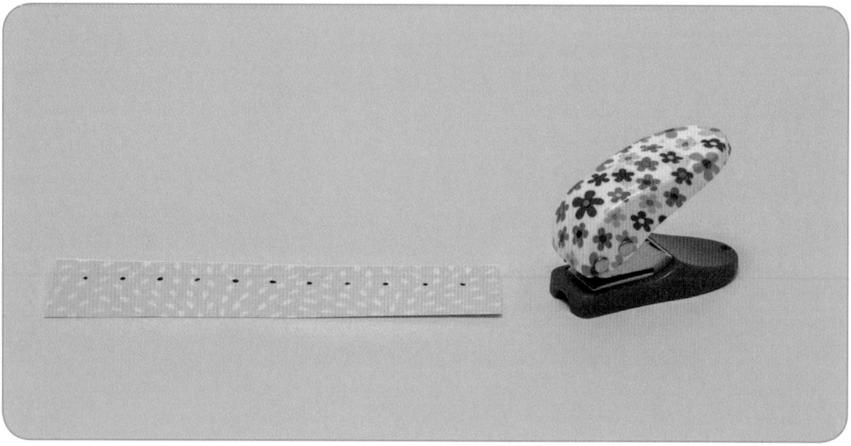

TIPS

一つ穴の穴開けパンチで紙に穴を開けます。最初は机の上にパンチを置いたまま、紙を差し入れ、指で押して穴を開けます。プスッという感触と、紙に穴が開くことが子どもの興味を惹きます。

上手にできるようになったら、写真のような台紙を準備します。子どもにパンチを手に持たせ、裏側から穴に合わせてパンチをします。この活動は、目と手を連動させる練習となるはさみの活動へとつながっていきます。

必要なモノ

- 穴開けパンチ(穴が見えるように、裏面のフタを半分カットする)
- 印をつけた紙(２㎝×10㎝程度)

作り方

紙にマジックで等間隔に黒い印をつける。

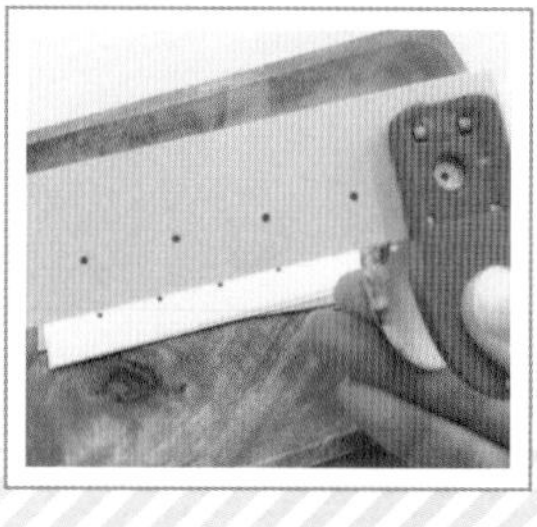

038 はさんで、つかんで、開いて、うつす！

2歳半～ トングではさむ

敏感期 ▶ 運動（はさんでつかむ）の敏感期

TIPS

自分の手指が上手に動くようになってくると、トングなどの「道具」に興味を持つようになります。道具は手の延長になりますので、難易度も高くなります。

トングで上手につまみ、目的の場所でトングを開いて移す。一連の活動を繰り返すことで、手指が繊細に動くようになります。

上手にはさめるようになったら、いよいよ「はさみ」の活動に移行します。

必要なモノ

- ミートボールトング
- 小さめのボール
- 並べる皿
（花形など形があると、より集中して「お仕事」ができる）

039 はさみを開き、狙いをつけて、閉じて切る！

2歳～ はさみ

敏感期 ▶ 運動（目と手の連動）の敏感期

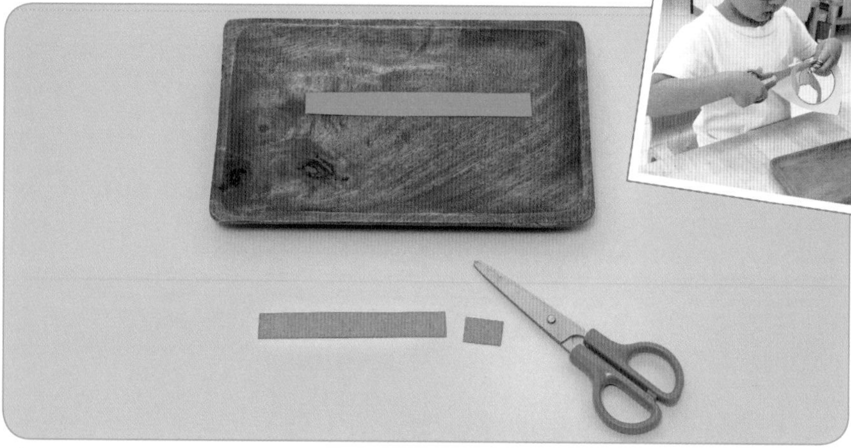

TIPS

はじめは親がはさみの握り方、開閉を見せ、次に、左手に紙を持って、右手で紙と垂直になるよう、はさみを立てて切るのを見せます。

最初は親が紙を持ち、子どもにははさみが垂直になるように持たせ、はさみの奥にあてて切るようにします（先で切らない）。写真の短冊は一番最初の一発切り用です。上手に切れるようになったら、短冊に1cm幅の線をマジックで引き、その線を丁寧に切るようにします。これができるようになったら、連続切りへと移行していきます。

必要なモノ

- 画用紙やはがきのようなかための紙を１cm×10cm程度に切った短冊

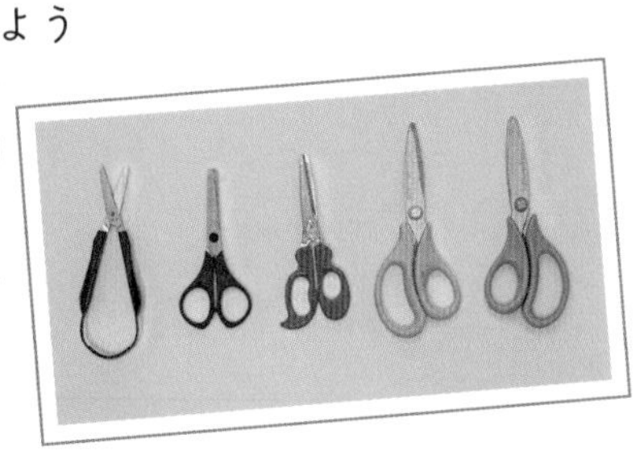

手首を自由にねじる練習

ねじる

「何だか静かだなぁ？」と思って見てみると、大事な化粧品の瓶をすべて開けてしまっていた！　などというのはよくあることです。

これはいたずらではなく、手首を自由にねじる練習をしていたのです。

子どもにとってねじるという動きは大人が思っている以上に難しく、かつとても魅力的な活動なのです。なので、様々な空き瓶、空き缶などを用意して、ねじる実体験をたくさんさせてあげてください。なぜならば、現代社会ではこの「ねじる」作業が、とても少なくなってきているからです。

昔は水道の蛇口やステレオのボリューム、ぞうきん絞りなど「ねじる」行動が身のまわりにたくさんありました。しかし、今はねじる体験が少ないので、お玉でうまくスープをすくえなかったり、ピッチャーでうまく液体をそそげなかったりするのです。

今まで捨ててしまっていた、化粧品や調味料の空き瓶などが教具になります。フタがはまったときにカチッと音がする容器などは、特に人気です。

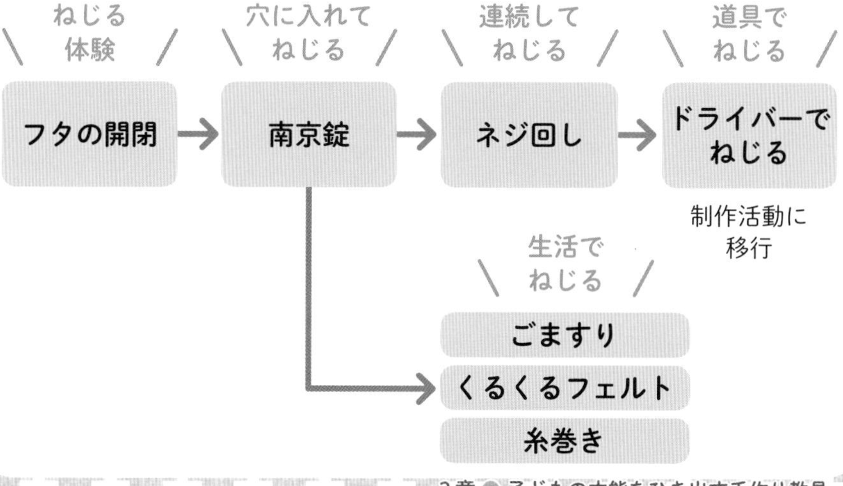

040 ひねって、開けてみたい、好奇心の第一歩！

1歳半～ フタの開閉

敏感期 ▶ 運動（ひねる・開ける）の敏感期

TIPS

1歳半くらいの子どもは、容器を何でも開けたがります。大人はそれを「いたずら」と見て、怒って容器を取り上げます。でもそれは、うまく動くようになってきた自分の手をいろいろな方法で使ってみたい衝動の現れです。それはあたかも「あなたは今、ひねることを練習する時期なんだよ！」と神様から言われているようなものなのです。そして、できたことが嬉しいので繰り返し行い、どんどん上達するのです。「運動の敏感期」のこうした知識があれば、空き瓶、空き缶さえも素敵な教具にできます。開閉では、反対向きにねじる動きが必要なので、子どもには難しいものです。はじめは、「ひねって開けるだけ」から始めると良いでしょう。

必要なモノ

- 調味料入れ
- 化粧品などのボトル
- がま口など
- いろんな形状のフタの容器
- かご

041 秘密の鍵がカチッと開く！
その実体験が財産になる

2歳～ 南京錠

敏感期 ▶ 運動（刺す・ひねる・開ける）の敏感期

TIPS

こうした生活での道具も、目的の場所に差し、ひねり、開けるという一連の活動ができる素晴らしい教具となります。

最初は狙いどおりにはうまく差せないので、土台を親が持ち、子どもに鍵を差させます。子どもには鍵自体の重みやメカニズム、カチンと外れる音や感触も魅力の一つなのです。モンテッソーリ教具はできる限り本物を準備します。本物だけが持つ重み、感覚がわが子の財産になるのです。

「私（僕）が開ける～」と、玄関の鍵を開けたがるようになったときに、この教具を用意すると良いですね。あらかじめ鍵の開け閉めを練習しておくことで、玄関の鍵穴のまわりに傷がつくのを防ぐこともできます。

必要なモノ

- 南京錠（100円ショップの南京錠は小さすぎるので、ホームセンターで販売しているしっかりした南京錠がおすすめです）

042

クルクル回す手が止まらない！　手指の運動に！

2歳～

ネジ回し＆ボルトとナット

敏感期 ▶ 運動（ひねる・３本指で回す）の敏感期

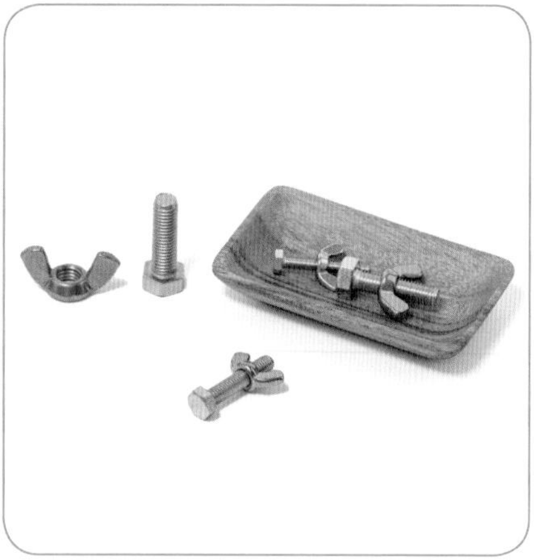

TIPS

固定されているネジに、蝶ネジを手で回して締めていく活動。ネジは固定されているので難易度が低くなります。締めるのと、緩めるのとでは、回し方が逆になるので、手指のとても良い運動になります。はめるところが難しいので、最初は親がはめてから始めます。サイズが大きいネジから始めると、動きが理解しやすいでしょう。この教具は不要になった家電製品などを分解する活動に発展させていきます。将来、日曜大工など、何でも自分でできる大人に育ちます。特に男の子が大好きな活動です。

必要なモノ

- ホームセンターで販売しているナット＆ボルト（サイズ違いのもの）
- 木板　２枚（厚さ５㎜程度、縦５㎝×横15㎝程度）

作り方（左の教具）

1 ボルトのサイズの穴をドリルで開け、ボルトの頭が入るスペースをカッターナイフで削る。

2 ボルトの頭を入れ、穴に刺したら１枚の板を接着剤で貼り合わせます。表からワッシャーをはさんでナットを強く締める。

043 何でも自分で組み立てられる自由の翼！

2歳半～ ドライバー

敏感期 ▶ 運動（ねじる・道具を使う）の敏感期

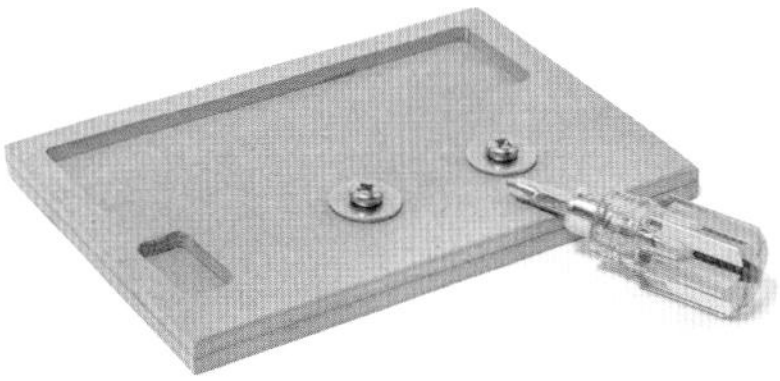

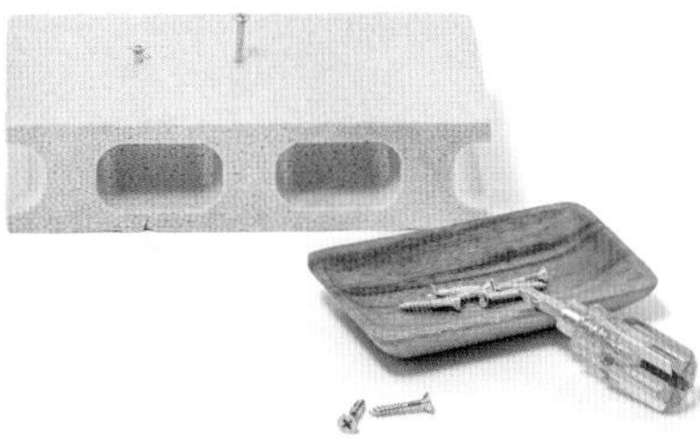

［発展形］発泡スチロールブロックと木ネジ10本程度。

TIPS

道具を使ってネジを回す教具です。ドライバーは力加減や手の向きなども関係してくるので、難易度が上がります。子どもには写真のような太く、短いドライバーを選びます。細く、先が長いものは向きません。

最初の刺すところが難しいので、そこは大人がやって、回す部分からスタートさせると良いでしょう。

発展形として、写真のような発泡スチロールに木ネジを回して差しこんでいくのもおすすめです。やがて、本物の木にネジを回し、何でも自分で組み立てられるようになるでしょう。

必要なモノ

- 小さいドライバー（短く太く子どもサイズのもの）
- 木板　2枚（厚さ５㎜程度、縦５㎝×横10㎝）
- ボルト　２本（長さ１㎝以下）
- ナット　２個
- ワッシャー　２枚

作り方

1. 木製板にドリルで穴を開け、ナットのスペースをカッターナイフで削る。
2. ナットをはさんでもう１枚の木板を接着剤でつける。

044

嗅覚・味覚も磨かれる素敵な「お仕事」！

2歳半～ ごますり

敏感期 ▶ 日常生活の練習・感覚（ひねる・嗅覚・味覚）の敏感期

TIPS

すり鉢とすりこぎですするというのも、日常生活の中にある魅力的な動きです。しかし、子どもにとって右手と左手を逆方向に回すことは、とても難しいことなのです。100円ショップにある小さなすり鉢セットは子どもにとって最高の教具になります。最初はすり鉢を大人が押さえてあげましょう。手に伝わるゴリゴリという感触が触覚を、ごまがすれて生じる香りが嗅覚を刺激します。応用として、食塩やかつお節を加えてすると、「オリジナルふりかけ」を作ることもできます。料理のお手伝いは手の動き・嗅覚・味覚がすべて養われます。まわりに落ちたカスを、ちりとりとほうきで片づけるのも大切な「お仕事」です。

必要なモノ

- すり鉢
- すりこぎ
- ごま
- ごまを入れる瓶
- スプーン
- すったものを入れる器
- 卓上用のちりとりとほうき

045 手首をひねってバランス良く布を巻く！

2歳半～

くるくるフェルト

敏感期 ▶ 日常生活の練習（ひねる・巻く）

TIPS

手首をひねって返しながら、くるくる布を巻いていくお仕事です。

左右の手をまだバランス良く動かせない、2歳半くらいの子どもには大切な活動となります。フェルトを巻くときの、手首を前に返す動きは、昨今の日常生活ではほとんど見なくなってしまいました。ぜひ、こうした手作り教具で、様々な手首の動きをマスターさせてあげましょう。小さな布を上手に巻けるようになれば、絨毯などの大きなものも巻けるようになるなど、左右の手のバランスが良くなっていきます。最近はぞうきんを上手に絞れない、コマを上手に回せない子どもも増えています。小さいころのひねる体験がとても少なくなっているのがその原因なのです。

必要なモノ

- 7㎝×30㎝に切ったフェルト　10本
- くるくるフェルトを入れる箱

046 緻密に巻いて連続性の理解につなげる

3歳～ 糸巻き

敏感期 ▶ 運動(ひねる・巻く・指先や手首の強化)の敏感期

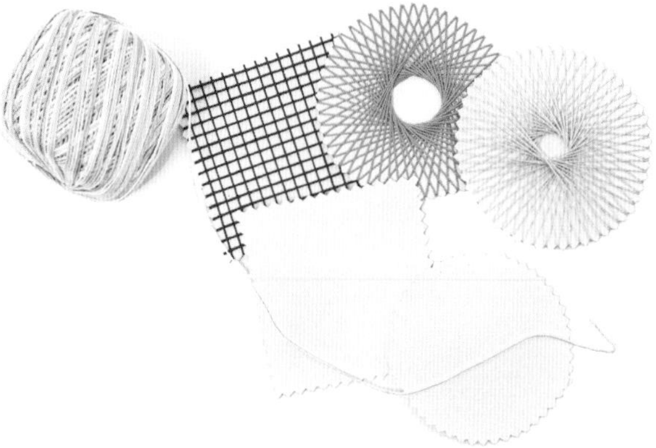

TIPS

台紙に糸をくるくる巻いていき、巻き終えたらセロテープでとめる「お仕事」です。この作業で、子どもは手首をコントロールしてひねる運動を覚えます。また、規則正しい活動の繰り返しによって、連続性を理解するようになります。

月齢が上がってくると、このように連続性があり、長い時間の活動もできるようになります。5歳になるころには、1日では終わらない活動もできるようになります。

「今日はここまでにしておこう。明日はここから取りかかろう」などのように、先々を見とおし、段取りができるようになってきます。

必要なモノ

- 8㎝×8㎝位の厚紙(まわりをピンキングばさみでカット)
- 糸(各色)
- セロテープ
- はさみ
- 糸切りばさみ

作り方

ピンキングばさみでギザギザに切った台紙の後ろに、糸の先をセロテープで貼ったものを用意する。

動画でよくわかる糸巻き

スプーンなどの道具を使える力は一生の財産

うつす

日常生活において、道具を使ってモノをどこかからどこかに「うつす」作業はとても多く、とても重要です。その動きが特に必要になるのが食事のときですね。

スプーンでスープをすくって口に運ぶ。お刺身を箸でつまんで醤油皿につけるなど、私たちは毎日、何回も「うつす」ことをしています。

しかし、1歳半くらいの子どもはやっと自分の指でモノをつまめるようになったばかりです。スプーンなどの道具を使ってモノをうつすのは、手の延長線上に道具があり、その先にモノがあるので、大人が思うよりはるかに難しいのです。

食卓でその都度注意されては、食べる喜びが失われてしまいます。実践で道具を使う前に、手作りの教具で何回も「お仕事」として練習させてあげてから、食卓に移行していきましょう。

食事のときの洗練された動き、所作は一生の財産になりますよ！

＼手で握る／ **手でうつす** → ＼道具でうつす／ **スプーンでうつす**（スプーンですくう） → ＼トングではさむ／ **トングでうつす**（種類をわけてうつす）

→ ＼小さいモノをうつす／ **ピンセットでうつす** → ＼箸を使う／ **箸でうつす**

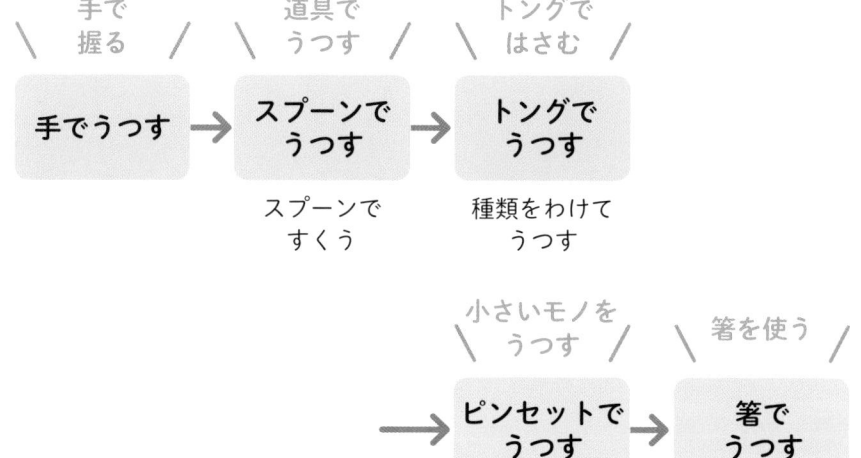

047 食事の第一歩はスプーンから！

1歳半～ スプーンでうつす

敏感期 ▶ 運動（スプーンでうつす）の敏感期

TIPS

利き手と反対側の器にポンポンを入れておき、スプーンという道具を使って利き手側にうつす教具です。手づかみでうつす活動と比べると、格段に難易度が上がります。ポンポンをのせやすい大きさのスプーンを用意してあげましょう。

また、写真の器はガラス製で重みがあるので、手を添えなくても安定性があり、すくいやすくなっています。器は、重さ、安定性も考えて選ぶといいでしょう。

最初は写真のように、ポンポンの数を少なくして、すくうことに集中できるようにしてあげます。スプーンで食べる真似をすることがありますが、そんなときは、「これは食べないよ！」とやさしく言ってあげましょう。

なぜ利き手側に移すのかというと、後々鉛筆で字を書くときの腕の運びを練習する意味があるからです。

必要なモノ

- ガラスや陶器の器２つ
- ポンポン５個位
- スプーン

誤飲に注意

048 集中力を生み出す！

1歳半～ トングでうつす①

敏感期 ▶ 運動（はさむ・うつす）の敏感期

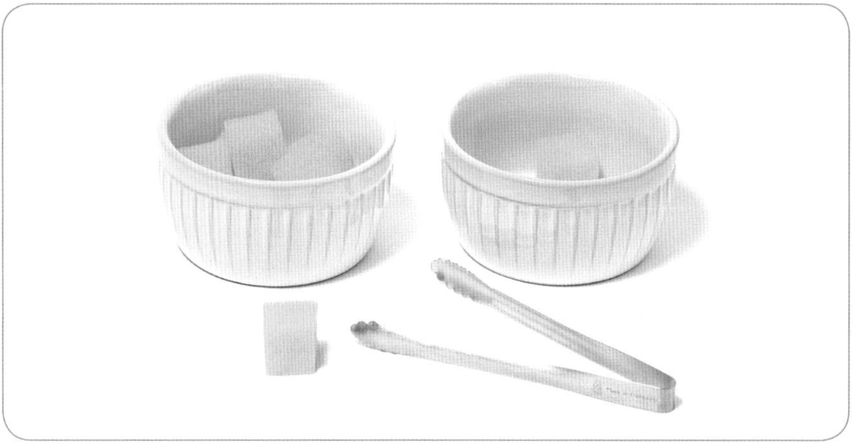

TIPS

トングでスポンジをはさんで、うつす活動。トングでつまみやすいように、スポンジを立方体に切ることがポイントです。この段階では、つまむ活動に集中させるために、スポンジは色と形をそろえます。この活動が上手にできるようになったら次ページのようにポンポンの数を増やし、色も何色か追加するようにします。金属性のトングの場合は、安全性のため、先のとがっていないものを選びましょう。

手先の活動に集中しているときこそ、目と手が連動して動き、脳神経細胞が活性化している瞬間です。

必要なモノ

- ガラスや陶器の器　２つ
- 立方体に切ったスポンジ　10個
- トング（子どもの手のサイズで、先が丸いもの）

049 数が増えて、時間のかかる「お仕事」もできるように！

2歳～ トングでうつす②

敏感期 ▶ 運動・感覚(はさむ・うつす・わける)の敏感期

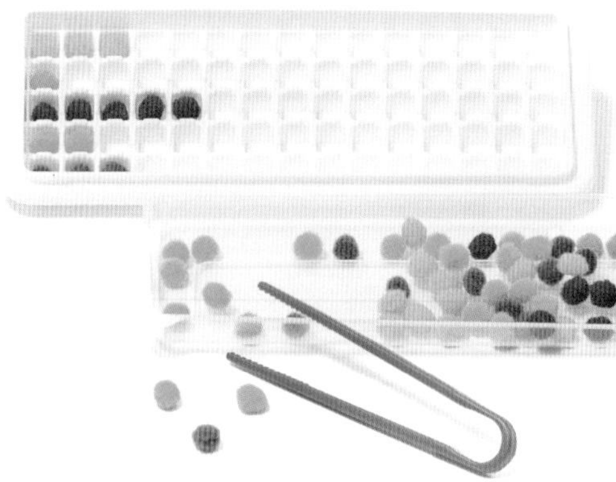

TIPS

前ページの立方体のスポンジのポンポンがつまめるようになったら、ポンポンを小さくして数を増やします。月齢が上がると、時間のかかるお仕事にも集中できるようになってきます。

感覚の敏感期も訪れているので、色ごとにきっちりわけてうつしたい、という強い衝動に駆られます。

ポンポンの数は製氷皿のキューヴの数にぴったり合わせておきます。きっちりと最後までうつし終えた達成感が得られるように、環境を整備しておきましょう。

必要なモノ

- 製氷皿(キューブが小さめ)
- 小さめのポンポン75個(製氷皿のキューブの数に合わせる)
- プラスチック製のトング(金属で可能ですが、ポンポンが小さくなったので、先が細いトングを選ぶ)

050 わけたい！　という強い思いの感覚の敏感期

3歳～ トングでわける

敏感期 ▶ 運動・感覚（分類する）の敏感期

TIPS

感覚の敏感期が訪れると「同一のものを合わせる⇒比較する⇒分類する」と行動が変化していきます。この教具は「分類」する感覚の敏感期に入った子どもに有効です。トングを使ってそれぞれの種類の消しゴムを、それぞれの部屋にわけることができます。

トングを使って同じような「お仕事」をしているように見えますが、行動の正確性はどんどん上がり、子どもの考え方もどんどん進化しているのです。

敏感期を知ると、子どもの行動の本当の意味がわかってきます。

必要なモノ

- ３種類の消しゴム
- トング
- ３つにわかれたお皿
- 消しゴムを入れる器

051 息をつめるような「お仕事」が集中力を生みます

2歳半〜 ピンセットでうつす

敏感期 ▶ 運動(つまむ・うつす・のせる)の敏感期

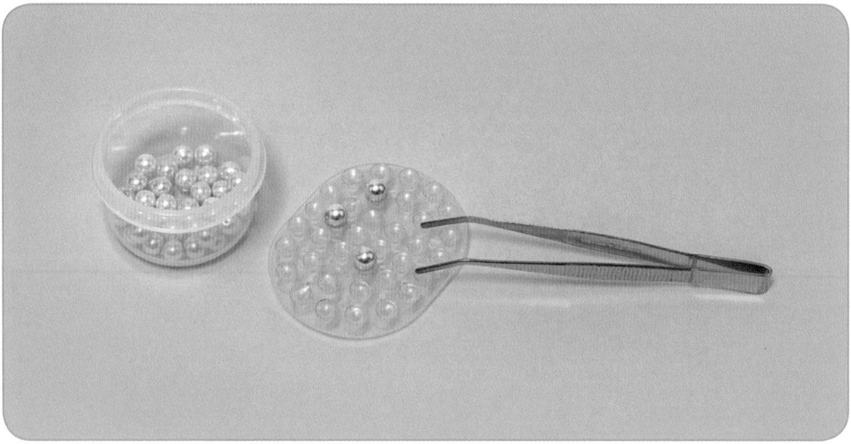

TIPS 滑りやすい小さなビーズや黒豆をピンセットでつまみ、石鹸うけの吸盤の部分に並べていくお仕事です。これまでのうつす活動の中で、一番難易度が高く、息をつめるほどの集中力が必要となります。

ピンセットの持ち方は「ペンシルスタイル」となり、この延長線上に箸や鉛筆での活動への移行があります。親はすぐに箸や鉛筆を持たせたくなりますが、その前にこのような「お仕事」で3本指が自由に動くように練習させてあげましょう。

最後までやったのにビーズの数が足りない、という事態は、子どもにとっては耐えられない違和感として残ります。吸盤の数とビーズの数をそろえておくなどの配慮をしてあげましょう。

必要なモノ

- ピンセット
- ビーズ(黒豆)
- 石鹸うけ

誤飲に注意

COLUMN

集中現象

下の写真は私にとって忘れられない１枚です。

この子は、ピンセットで黒豆をうつす「お仕事」を45分ずっと続けていました。まわりが歌の時間になっても気がつきませんでした。こうした状態をモンテッソーリでは、「集中現象」と言います。

このように目と手が連動して動き、何回も同じ活動をしているときに、子どもの脳神経細胞は最も活性化しているのです。

皆さまのお子さまも、必ずこうした瞬間を見せるはずです。しかし、そのためにはいくつかの条件があります。

①子どもの発達段階に合った教具がある。
②子どもが自分で選択できる環境である。
③繰り返しできる環境がある（大人が邪魔をしない）。
④親が敏感期と集中現象の意味を知っている。

モンテッソーリ教具は、まさに集中現象を生むためにあるのです。

052 大人の真似をしたい強い気持ちが後押しする

3歳～ 箸づかい

敏感期 ▶ 運動（はさむ・うつす）の敏感期・日常生活の練習

TIPS 箸を使ってモノをつかむ活動です。親が一番気にするのが「おむつが外れること」と「箸が使えること」ではないでしょうか？

しかし、何事にもタイミングがあります。手をつぼめて、3本の指を自由に動かすことができなければ、箸は使えません。

わが子の指の動きを見て、まだうまくつぼめることができていないと感じたら、洗濯ばさみや、ピンセットで小さなものをつまむ「お仕事」をたくさんできるようにしてあげましょう。

遠回りに見えるかもしれませんが、これがモンテッソーリ教育が「適時教育」である理由なのです。

箸でつまむ対象は、写真のフェルトを巻いたもののように、つまみやすく、すべらないものを準備してあげましょう。

殻つき落花生、まゆ玉などもおすすめです。

必要なモノ

- ガラスや陶器の器　2つ
- 子ども用の箸
- フェルトを巻いたもの　10個（縦６㎝、横３㎝程度）
- 糸

＼ STEP UP! ／

箸のトレーニング

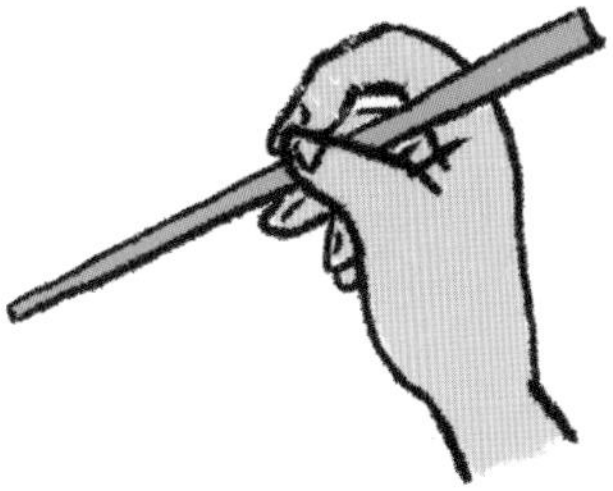

1 右手で、箸１本の真ん中より少し上を、鉛筆を持つように持ち、親指、人差し指、中指の３本の指を使って、自由に箸を動かしてみます。

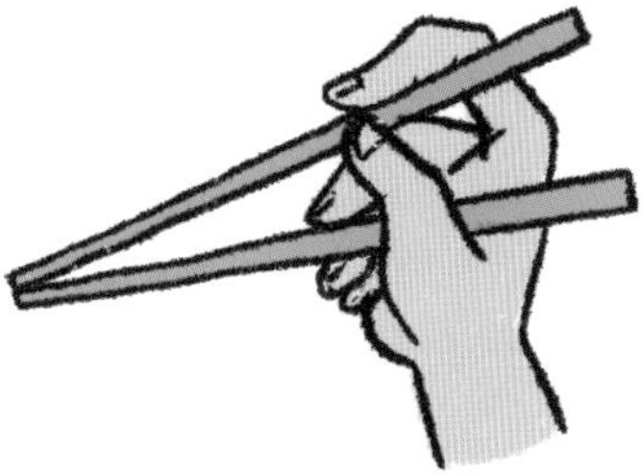

2 もう１本の箸を、親指のつけ根から差しこみ、中指と薬指の間をとおします。

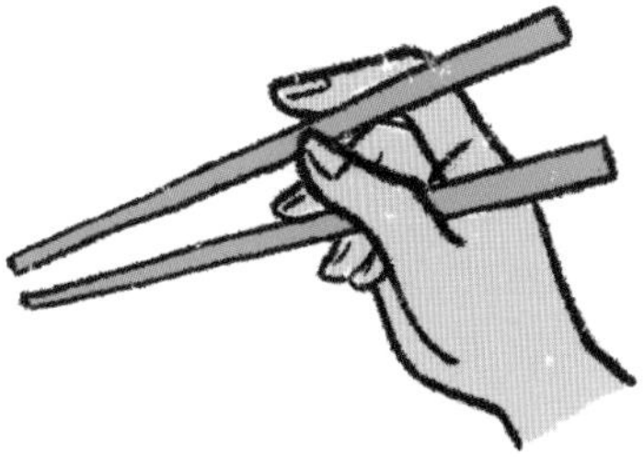

3 2で差しこんだ箸は、親指のつけ根と薬指の第一関節のあたりで固定します。

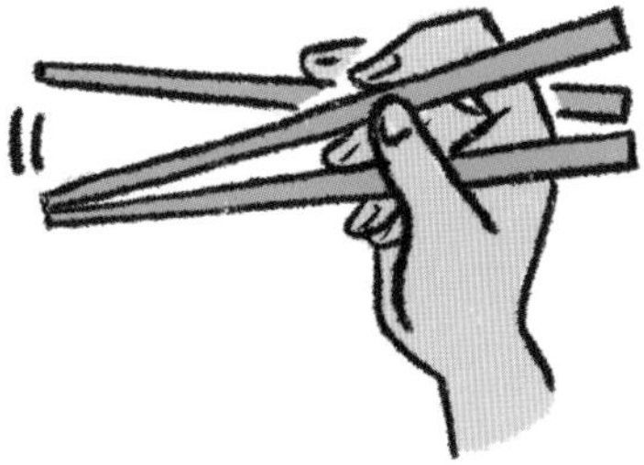

4 最初に持った箸を1と同じように動かし、3の固定している箸と合わせます。
ここまでできたら、何かつまんでみましょう。

COLUMN

スモールステップス

「うつす」項目の教具を見て「トングだけでも〝お仕事〟の種類がずいぶん多いなぁ」と思われたかもしれません。
「うちの子には早く箸を使わせたいのだけれど」という方も少なくないと思いますが、モンテッソーリ教育には「早ければ良い」という考えはありません。

「次の段階へのステップは、その前の段階をいかに充実して経験してきたかにかかっている」
これがモンテッソーリの「スモールステップス理論」です。

ですから、箸が使えるようになるには、洗濯ばさみなどで手指の力をつけ、トングをうまく使えるようになり、ピンセットで小さなものを丁寧につまめるようになってから。
このような前段階の「お仕事」をきちんとできるようになってこそ、初めて箸に移行することができるのです。
子どもは自分のやるべき活動を満足するまで行い、できるようになると、必ず次の成長段階に目を向けます。時が来れば子どもは自分の判断でステップを上がっていくのです。
私たち親ができるのは子どもが一人でできるようにお手伝いし、強制するのではなく、環境を整え、待つことだけなのです。

本物の道具を使うことが上達の鍵！

切る

　包丁でキュウリなどの野菜を切る活動は、モンテッソーリ教室では大人気です。
「小さな子どもに包丁を持たせるなんて、危ない！」と思われるかもしれませんが、子どもに合った環境や道具で、正しい使い方を見せてあげれば、ちゃんと使いこなすことができます。
　また、危険な道具だからこそ、小さいうちから慣れ親しんでいく必要があるのではないでしょうか？　子どもの成長に合わせて、スモールステップスを意識して、だんだんに難易度を上げていくことが大切です。
　包丁に慣れてくると、やがて料理も自分でできるようになります。自分の作ったものを、家族や友達に食べてもらう活動をとおして、「自分は社会の役に立つ存在だ」と実感し、自己肯定感が芽生えます。まさに、自分の人生の主人公として育っていくのです。

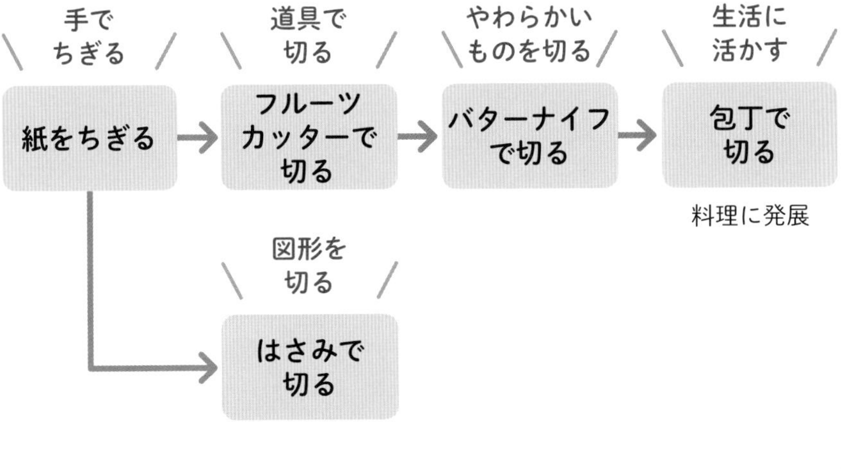

053 包丁の前にこの「お仕事」！

3歳～ リンゴを切る

敏感期 ▶ 日常生活の練習（切る）

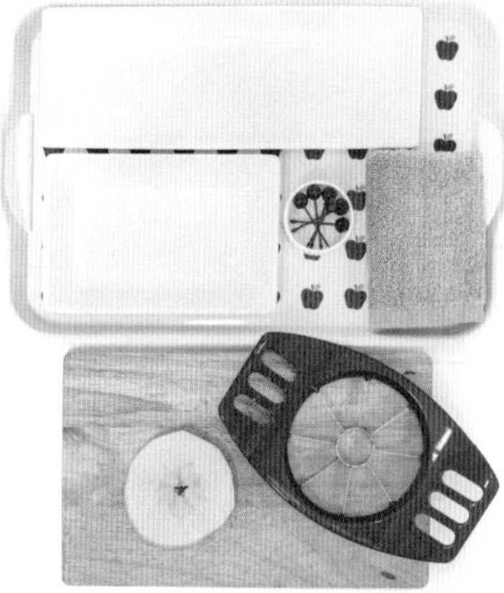

TIPS

料理も子どもにとって魅力的な「お仕事」です。しかし、いきなり包丁を扱うことは難しいので、便利道具の「リンゴカッター」から始めてみましょう。リンゴは厚さ２cm以下の輪切りにしておきます。この上に「リンゴカッター」をのせて上から力を加えれば、子どもの力でも簡単に切ることができます。切れたらお皿にならべ、楊枝を刺してサーブします。「リンゴはいかがですか？」と言いながら、家族やお友達にすすめます。

また、フキンでまな板や皿をきれいに保つことも、関連した「お仕事」になります。

必要なモノ

- リンゴ（厚さ２cmの輪切り）
- まな板
- リンゴカッター
- 手拭き
- ピック
- ピック置き
- リンゴカット置き
- カットしたリンゴを入れる皿
- トレイ
- フキン

054 バターナイフで安全に！

1歳半～ バナナを切る

敏感期 ▶ 日常生活の練習（切る）

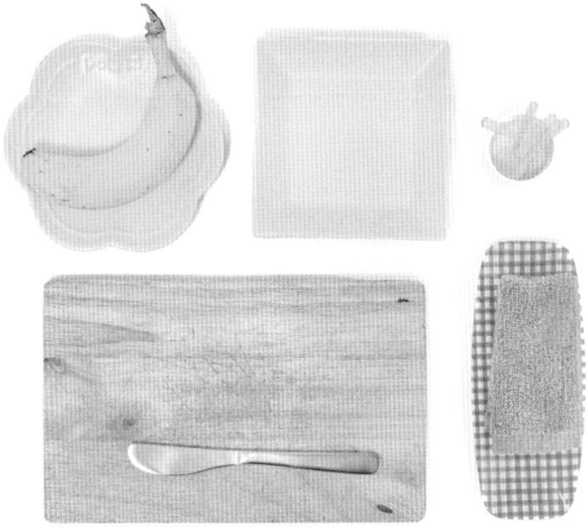

TIPS

模倣期にある子どもは、台所での料理にも興味津々です。最初から包丁は持たせず、まずはバターナイフでバナナを切る活動をします。切ったバナナは皿にのせ、楊枝を刺して、家族や友達にサーブします。バターナイフに慣れてきたら、写真のような子ども用の包丁に移行します。切る対象も魚肉ソーセージ、キュウリなど様々なものを切る体験をしていきます。この年代になってきたら、一連の活動を最後まで一気に提示して見せることが可能になります。

3歳以降は意識的に記憶を留めることができるようになってくるからです。

必要なモノ

- まな板
- バターナイフ
- 手拭き
- 手拭き置き
- ピック
- ピック置き
- バナナを置く皿
- 切ったバナナを置く皿

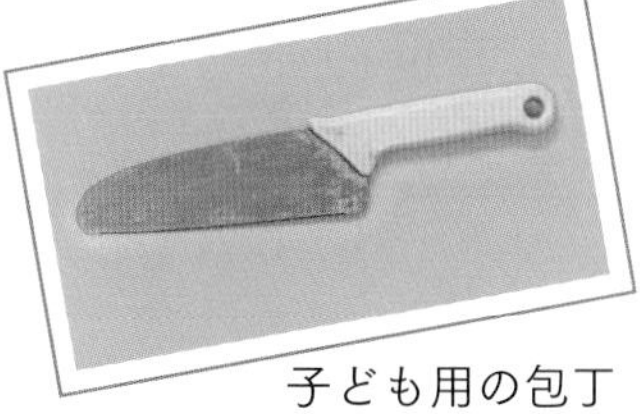

子ども用の包丁

COLUMN

危険なモノが自律と自立を呼ぶ

モンテッソーリ教育では、はさみ、包丁など危険なモノもお仕事に使っています。モンテッソーリ園ではローソクにマッチで火をつける「点滅」というお仕事もあります。

「小さい子にマッチを持たせるなんて危ない」と言われる方も多いかもしれません。しかし、前述したように危険なモノだからこそ幼少期に正しい使い方を教える必要があると考えるのがモンテッソーリ教育なのです。

陶器の器は落とせば割れます。はさみも包丁も使い方を誤れば手を切ります。マッチも火傷(やけど)をしてしまいます。

だからこそ、丁寧に、使い方のルールに基づいて活動させる必要があるのです。

また、子どもが危険な道具を使うときには、自分の動きをコントロールする必要があります。これが「自律」の源になります。

息をつめるような緊張感を持って活動する中から集中力が芽生えるのです。そして、危険な道具を制して使いこなすようになって初めて「自立」することができるのです。

「その道具は危ないからお母さんが代わりにやってあげる」

「そのお仕事は君にはまだ早いからお父さんが代わりにやってあげる」

一見、優しげに見えるこうした親のひと言が、わが子の自立を妨げているのかもしれません。

ぜひ、安全にできる環境を整え、正しい使い方を提示してあげて、自立への第一歩を踏み出させてあげましょう！

狙った場所に貼れる喜びが
自己肯定感につながる！

貼る

子どもはシールが大好きです。放っておくと家具やドアなどにペタペタと貼ってしまって困ることになります。

しかし、これはいたずらではなく、手指がうまくつぼめるようになってきたので、それを練習したいという運動の敏感期の現れなのです。

そして、つまんではがすことも喜びのポイントです。何回も繰り返し貼れる環境を整えてあげましょう。

最初は白い大きな紙に自由に貼る体験をします。次に台紙の形に合わせて貼ることへ移行します。この活動を繰り返すうちに、狙ったところにピタリと貼れるようになります。このような目と手の連動の積み重ねによって活動のレベルは上がり、大きな作品にまで発展させることができます。

100円ショップのシールを使うなど、工夫次第でいくらでも子どもが喜ぶ教具を作ることができます。

本書には、特別オリジナルのシール台紙をダウンロードできるようにしてありますので、どうぞご活用ください。

自由に貼る		目標に貼る		のりで貼る		図形を選んで貼る
シール貼り	→	**シール貼り**	→	**のり貼り**	→	**のり貼り**
シールをはがす		大きさを選ぶ		のりをぬる		制作に発展

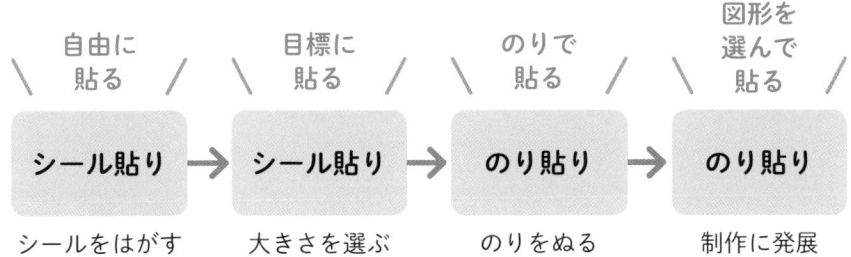

055 ピタリと貼れた喜び！

1歳半～ シール貼り

敏感期 ▶ 運動（貼る）の敏感期

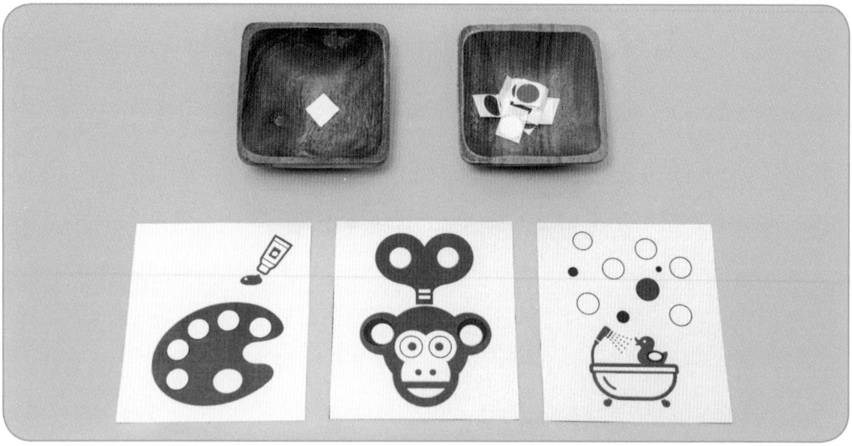

TIPS

1歳半くらいの子どもに大人気の「お仕事」です。うまく動くようになってきた指先を使ってシールを慎重にはがして、狙いどおりの場所に貼ることができたとき、子どもたちの「自己肯定感」が高まります。楽しく繰り返すうちに、どんどんその精度が上がっていくのです。最初は大きな丸のシールだけを皿に置きます。これが上手にできるようになると、大、小のシールを自分で選んで適切な場所に貼れるようになります。貼り終わったごみを別の皿に入れ、活動が終わったらゴミ箱に入れるなどの秩序も大切に育てます。

オリジナル台紙もダウンロードして活用ください。

必要なモノ

- シール
- シール台紙
- シールを入れる皿
- ごみを入れる皿

すぐに使える！
シール台紙

056 図形の認識へと発展します！

2歳～ のり貼り

敏感期 ▶ 運動（貼る）・感覚（図形を選ぶ）の敏感期

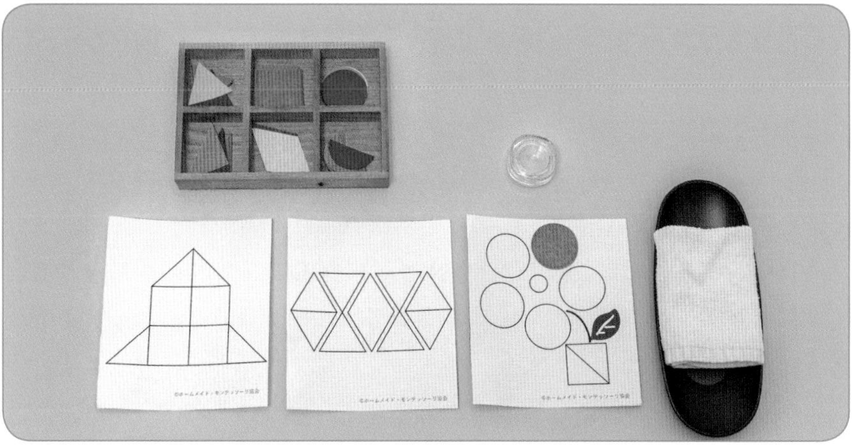

TIPS 「シール貼り」の発展形として、適切な図形を自分で選んで、のりを自分でつけて貼る活動です。円、半円、正方形、平行四辺形、正三角形、二等辺三角形などの色紙を用意します。様々な図形を体感し、組み合わせて台紙に貼ることを学べる活動です。図形だけでなく、色彩、芸術性も磨かれます。「のり」はスティックのりなども便利ですが、一番最初に体験するのは、ベトベトが触覚としてダイレクトに伝わる「ヤマトのり」が適切です。ベトベトになった指を拭くために、濡らした手拭きを準備しておきます。

オリジナル台紙もダウンロードして活用ください。

必要なモノ

- 台紙
- のりを入れるケース
- のり
- 手拭きタオル
- 手拭き置き
- 色紙（折り紙）
- 色紙を入れるケース

すぐに使える！
のり貼り台紙

COLUMN

小学校にあがる前にやっておきたいこと！

小学校入学は子どもにとって大きなステップアップになります。

では、それまでにどのような能力をつけさせてあげれば良いのでしょう？　これは親なら誰もが悩むところです。

しかし、ここでもモンテッソーリ教育のスモールステップス（P.122）は変わりません。今つけられる能力をしっかりとつけておくことが大切なのです。

「折る、切る、貼る」などの作業は小学校の授業ですぐ必要になります。おり紙を折る、のりで貼る、クレヨン、絵の具で塗るなど、今までの活動と組み合わせて、自分の思いを表現できるようになります。

スプーン、フォーク、箸が上手に使えることも、給食の時間にとても大切な力になります。

ボタンをかけ、ファスナーを上げ、靴のひもを結ぶことも、登校の準備をするうえで必要になります。

このように、手作り教具で身につけてきた生きる力そのものが、小学校への準備に直結しているのです。

今、わが子が一生懸命取り組んでいる活動を、しっかりとできるようになるまで行い、次のステップに上がっていけるように見守っていきましょう！

一人でできることが増え、
集中力もどんどん伸びる！

掛ける

壁にあるフックなどに、モノを「掛ける」活動も日常生活の中にたくさんあります。

大人にとっては何でもない動きですが、子どもにとってはなかなか難しい活動なのです。

特にブラブラする不安定なモノをきっちり掛けるのには、集中力が必要です。まずは、ゆっくりと上手な掛け方を提示して見せてあげましょう。

「掛ける」活動の最後で行う、「パターンボード」（P.135）も、子どもたちのこれからの日常生活の中で大切な活動です。日常生活に存在する掛けるという「動き」を一つずつ取り出して、ゆっくりと提示してあげるだけで、子どもは一人でできることがどんどん増えていくのです。

ホームメイド・モンテッソーリは特別なことではなく、当たり前のことを、丁寧にやって見せることがポイントなのです。

＼モノを掛ける／ **フック掛け** → ＼連続して掛ける／ **バナナフック** → ＼伸ばして掛ける／ **輪ゴム掛け** → ＼輪ゴムを掛ける／ **パターンボード**

- フック掛け：目標の場所に掛ける
- バナナフック：動きのコントロール
- パターンボード：幾何図形に発展

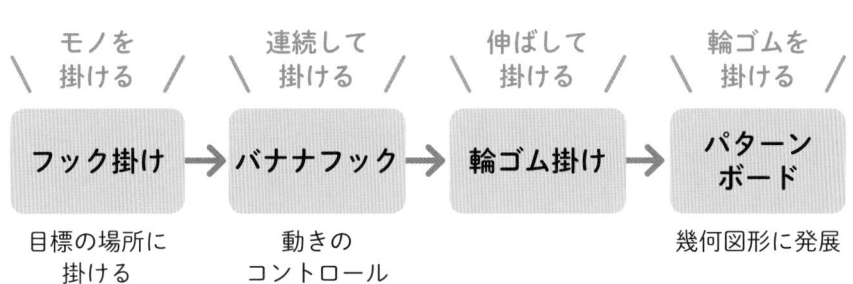

057 日常生活にある何気ない動きが学びに変わる！

1歳半～ フック掛け

敏感期 ▶ 日常生活の練習・運動（掛ける）の敏感期

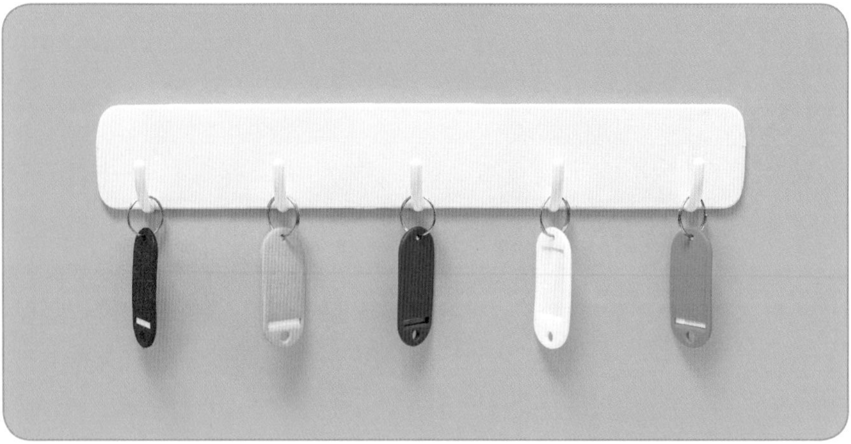

TIPS

リングの部分を手で持って、ネームホルダーを掛ける「お仕事」。これは動きをコントロールする必要があります。立ち歩くようになり、手指が自由に動かせるようになったころから取り入れます。壁に掛ける場合は、立ったときにちょうど目線となる高さに設置することが重要です。手をひねり、手の向きを調節しながら、何回も黙々と繰り返す姿が教室でも見られます。この段階では、「掛ける」ことが目的なので、色ごとにペアリングする（P.164）などの活動は盛りこみません。

わが家では、冷蔵庫にこの教具を貼って、子どもが集中して活動している間に、お料理をしていました。

必要なモノ

- フック
- ネームホルダー

058

100円ショップのバナナ掛けも立派な教具に！

1歳半～　S字フックを掛ける

敏感期 ▶ 運動（目と手の連動・掛ける）の敏感期

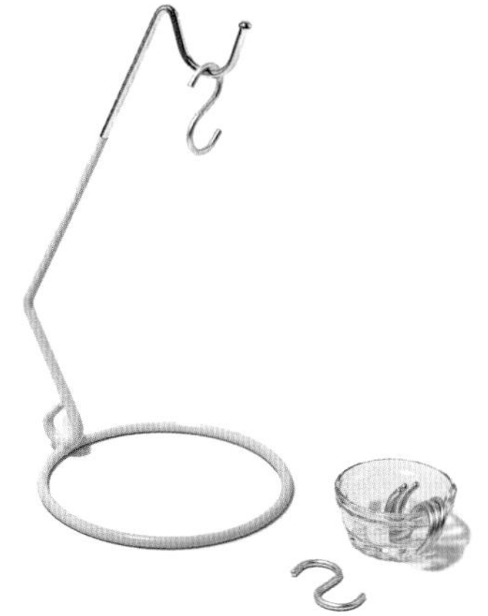

TIPS

手指をコントロールして、S字フックを順につなげて掛けていきます。1つ目は簡単に掛けられても、2つ目以降は空中でブラブラしているので、難易度が上がり、集中力がつきます。連続して掛けることが難しい場合は、1カ所に何個も掛けることから始めましょう。

このような活動をとおして目と手を連動させているとき、子どもの脳はフル活動しています。

一つずつの活動を独立して取り出し、様々な種類の動きをステップを踏みながらマスターしていくことで、子どもの脳は多角的に刺激されていきます。

必要なモノ

- バナナ掛け
- S字フック　5個程度
- S字フック入れ

059 靴下を自分で履く練習になる

2歳〜 髪ゴムを掛ける

敏感期 ▶ 運動（伸ばす・掛ける）の敏感期

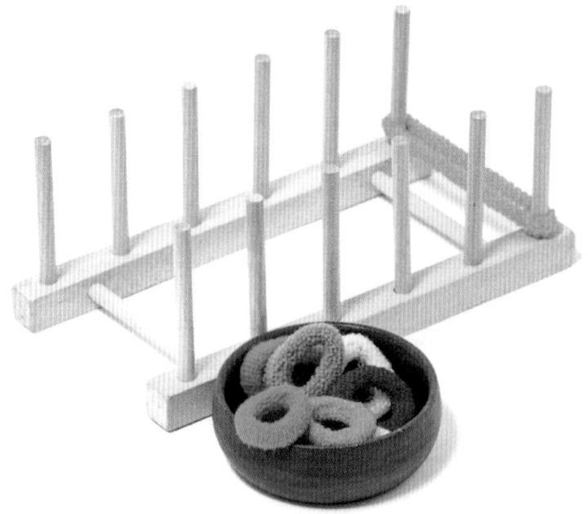

TIPS

髪ゴムを両手で伸ばしながら、うまく両方の柱に掛ける活動です。

輪ゴムを伸ばしながら掛けるなど、一度に複数の動きを伴う活動は、子どもにとっては難しいものです。ゆっくりとやり方を提示してあげましょう。

これは靴下を履こうとしても口の部分が上手に伸ばせなくて、上手に履けないときの練習にもなる教具です。

２歳くらいからは「力加減」ができるようになってきます。強すぎないよう、また、弱すぎないよう、力と動きを自分でコントロールして「洗練」させていく段階に入っていきます。

必要なモノ

- ディッシュスタンド
- 髪ゴム
- 髪ゴムを入れる器

060 図形が大好きになるために！

3歳～ パターンボード

敏感期 ▶ 運動（輪ゴムを掛ける・図形を作る）の敏感期

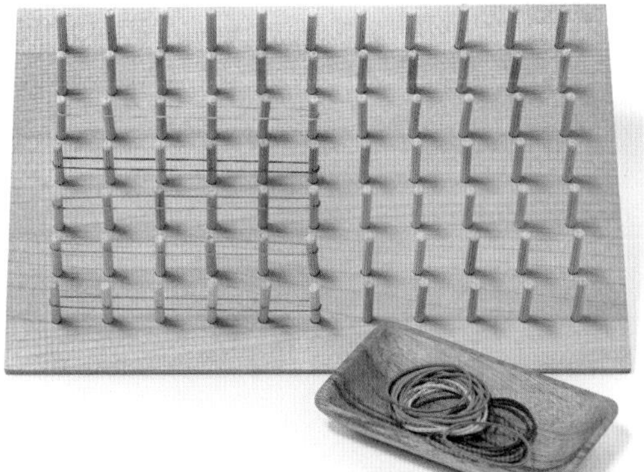

TIPS 輪ゴムを適切な力でひっぱり、目的の柱に掛けます。

3歳くらいからは、輪ゴムで△や□を作って図形の理解に発展することもできます。

このような教具で6歳までに様々な図形を作り、親しむ体験をすることが、小学校に入ってから「図形嫌い」を生まないコツになります。

感覚の敏感期でもあるので、同じ色だけを揃えて、掛けたりする活動も見られます。このような教具も、工夫次第で手ごろな値段で作れるのです。

必要なモノ

- パンチングボード（有孔ボード、30㎝×20㎝）
- 木製ダボ　77本
- 色とりどりの輪ゴム
- 木工用ボンド
- 輪ゴムを置くトレイ

作り方

パンチングボードの穴に、木製のダボという柱を打ちこんで木工用ボンドで固定する。

COLUMN

図形のセンスはいつ磨かれる？

小学校高学年になると、「図形や立体が苦手で」という生徒さんが増えてきます。学習塾の先生からも「図形はセンスですからね。図形や立体は見えない子には見えないんですよ」と、ひと言で片づけられてしまうことがよくあります。

しかし、本当にそうなのでしょうか？

図形、立体はいかに多くの実物に触れたかによって理解の深さが違ってきます。０～６歳の五感が鋭くなる敏感期に、いかに多くの実体験を積んだかによって変わってくるのです。

折り紙を折ることで、多くの三角形、四角形と触れ合い、立体を生み出す体験ができます。

はさみで折り紙を切ることで様々な図形を生み出すことができます。空き箱を分解することで、展開図を読み解く力がつきます。

積み木を積むことで、様々な立体を生み出すことができます。

こうして、手をたくさん使い、実物を動かすことで、やがて実際には実物を動かさなくても、頭の中で図形や立体を展開できる力がつきます。これを、「抽象化」と言います。

そして、それを後押ししてくれるのが、手を動かすのが楽しくてしょうがない「運動の敏感期」であり、五感を使って、はっきり、くっきり、すっきりわかりたいという「感覚の敏感期」なのです。

こうした敏感期が訪れている時期に、たくさんの図形、立体に触れて、自ら生み出す体験こそが、図形のセンスの源となるのです。

一人で着替えたい！　そんな欲求を叶える練習

とめる

私たちの日常生活には様々な「とめる」という行為があります。

洋服のボタンをとめる、スナップをとめる、鍵ホックでとめる。バックルでとめる、マジックテープでとめる、蝶結びでとめるなど、特に「自分で着替えたい！」という強い意志が現れる３歳以降は、この「とめる」という活動が重要になってきます。

しかし、子どもにとって、「とめる」という行為を、洋服を身につけた状態で練習することはとても難しいものです。そこでモンテッソーリはその難しい部分だけを取り出し、机の上で落ち着いて、何回でも繰り返すことができる教具を作ったのです。これが「困難性の孤立化」（P.34）です。

そのためには、まず、子どもが今、どの動きで困っているのか観察することから始めます。そうすると、「服のボタンが小さすぎてうまくはめれない」とか、「バックルの構造がよくわからないので外せない」など、その子ができない動きが見えてくるので、それに合わせた手作り教具を準備します。「何か悪いことしているんじゃないかしら？」などと「監視」してはいけませんよ！

子どもがうまくできないことは、どうやったらできるようになるか、まずは親がゆっくりと、見せてあげることが大切です。

両はじをとめる		動きのコントロール		ボタンでとめる		結んでとめる
マジックテープ	→	バックル スナップ	→	ボタン	→	三つ編み 蝶結び
				服を自分で着る		

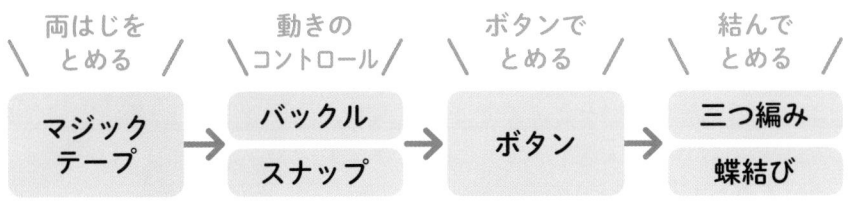

061 最も簡単なとめる活動！

2歳〜 マジックテープ

敏感期 ▶ 運動（とめる）の敏感期・日常生活の練習

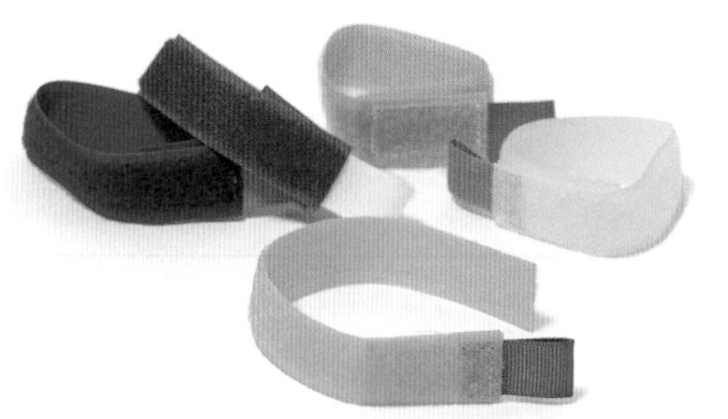

TIPS

マジックテープでモノがつながることは、子どもにとってはとても不思議な体験です。上の写真は、100円ショップで購入したコードを束ねるバンドです。このようなモノでも立派な教具になります。

力を入れてマジックテープを外すことで、力をこめるタイミングなどがわかってきます。スムーズにとめ外しができるようになると、何個もつなぎ合わせて、首飾りを作る子どももいます。様々な玩具が溢れている時代ですが、子どもにとっては素朴な素材のほうが「工夫」を生み出す力となり、その力が創造性へとつながっていくのです。

必要なモノ

- コードを束ねるバンド（マジックテープ）５本程度

062 便利だけれど子どもには難しい動き？

2歳〜

バックルとめ

敏感期 ▶ 運動（とめる）の敏感期・日常生活の練習

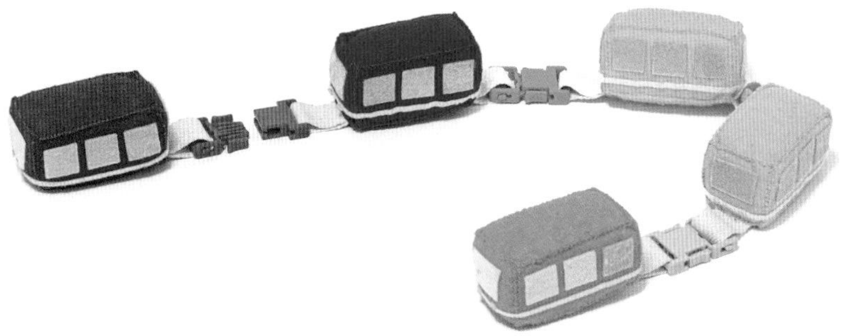

TIPS

バックルも子どもたちの洋服には多く使われています。とても便利なバックルですが、子どもたちにはその構造がなかなか理解できないようです。両側から押さえながら、ひっぱるという動きもまた難しいのです。

提示のときには親指と人差し指で両側から押さえてはずす動きを、ゆっくりとやって見せます。一番最初は子どもの指を補助して押してあげるとうまく外れます。慣れればカチンとしっかりとまることが嬉しくなります。

写真のような楽しい教具があれば　机の上で電車を連結させながら、バックルとめがどんどん上手になっていきます。

必要なモノ

- バックル　3〜5個
- 手作りで電車のようにしても良い

バックル付き電車
販売先
（おうちモンテ定期便
2歳コース）

063 机の上で落ち着いて、何回も繰り返す！

2歳～ ボタンでとめる

敏感期 ▶ 運動（日常生活の練習・ボタンでとめる）の敏感期

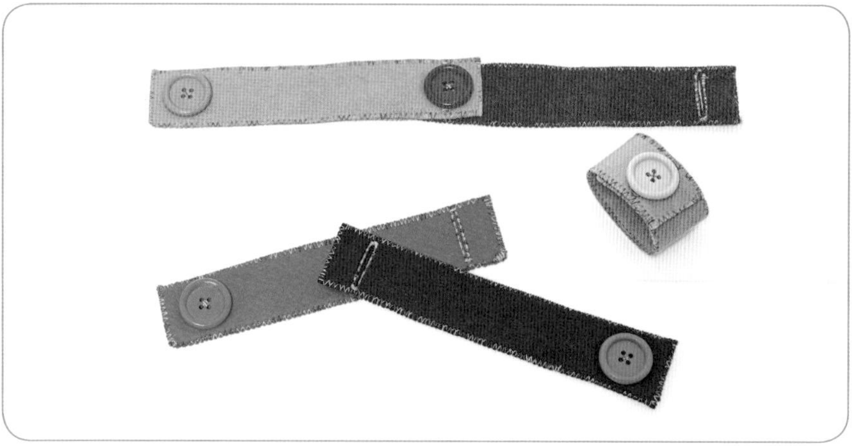

TIPS

一人で着替えたい！　そのときの第一の難関が「ボタンとめ」ですね。ボタンとめを自分で服を着た状態で練習するのはとても難しいものです。しかし、こうした教具があれば、机の上で、ゆっくりと、何回も繰り返すことができます。これが「困難性の孤立化」（P.34）です。最初は大きめのボタンで、穴も大きめがいいでしょう。花や魚の形、長方形のモチーフでもOKです。

上手にできるようになってきたら、ボタンを小さくしていきます。この練習によって、最後は自分で着たまま、上手にボタンとめができるようになります。

必要なモノ

- フェルト（4㎝×12㎝程度）
- ボタン　5個（3㎝）

作り方

フェルトにボタンと反対側にボタンホールを開ける（ボタンホールの穴は大きめで、しっかりと縫う）

COLUMN

モンテッソーリ教師の心得12か条

私どもモンテッソーリ教師が資格認定となる卒業証書とともに渡される12か条です。本書は、皆さまがモンテッソーリ教師になるために書かれたものではありません。しかし、わが子を見守る際のスタンスとして、参考になると思いますので簡単にご紹介しておきます。

①環境を整備しなさい

②教具をはっきり正確に提示しなさい

③子どもが環境と交流を持ち始めるまでは積極的に、交流が始まったら消極的に接しなさい

④モノを探している子どもや、助けが必要な子どもを観察し、その子の忍耐の限界を見極めなさい

⑤呼ばれたらすぐに駆けつけ、言葉を交わしなさい

⑥子どもに誘われたときには、求めていることをよく聞きなさい

⑦「お仕事」をしている子どもを尊重し、妨げたり、話しかけたりしない

⑧間違いはあからさまに訂正しない

⑨休憩している子どもには無理に「お仕事」をさせない

⑩「お仕事」を拒否する子どもにも、忍耐強く誘い続ける

⑪教師は自分を探す子どもにはそばにいることを感じさせ、教師の存在に気づいた子どもからは身を隠しなさい

⑫教師は活動を終えた子どものところに姿を現し、「お仕事」をやりきった子どもの精神を静かに認めなさい。決して安っぽい言葉でほめないこと

一番大切なことは「環境を整備すること」、そして、「子どもの邪魔をしない」ということですね。私たちが考える教師、親のあるべき姿とは大きく違うことに気づかれると思います。

064 慣れればお友達の三つ編みもできる！

3歳～ 三つ編み

敏感期 ▶ 運動（三つ編みの練習）の敏感期

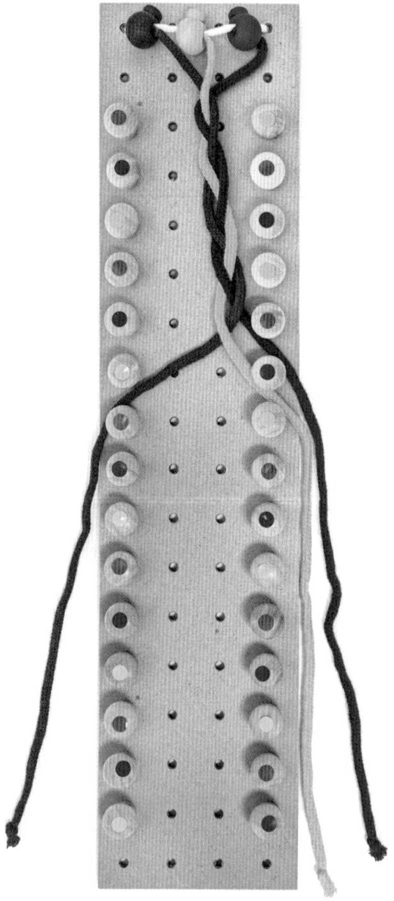

TIPS

三つ編みは字のごとく、3本のひもを編んでいくのですが、最初の編み始めが難しいものです。

この教具は、つまみの色と、ひもの色を交互に合わせていくと、自然と三つ編みができていく優れものです。この教具で十分手が慣れてきたら、次はP.143の右下の写真（編み方はイラスト参照）のように台をなくして、毛糸を使った三つ編みに移行します。先端をフックにかけて行うとうまくいきます。

モンテッソーリ園では、女の子同士がお友達の髪を三つ編みに編んであげている姿を、よく見かけます。

動画でよくわかる
三つ編み

必要なモノ

- パンチングボード（15cm×45cm程度）
- 木製のつまみ30個
- ３色のひも（50cm）
- ３色のシール
- ３色のコードストッパー
- 20cmほどの白いひも

作り方

1 パンチングボードの両端につまみを15個ずつ取りつける。つまみに赤・青・黄の順でマークシールを貼る。

2 ３色のそれぞれのひもを、それぞれの色のコードストッパーにつなげる。その後、白いひもを使って、ボードの一番上に取りつける。

\ STEP UP! /

毛糸を使った三つ編みの「お仕事」

1 ひもを右側に２本（②と③）、左側に１本（①）になるようにわける。

2 ③のひもを②のひもの内側に並べて置く。

3 ①のひもを②のひもの内側に並べる。

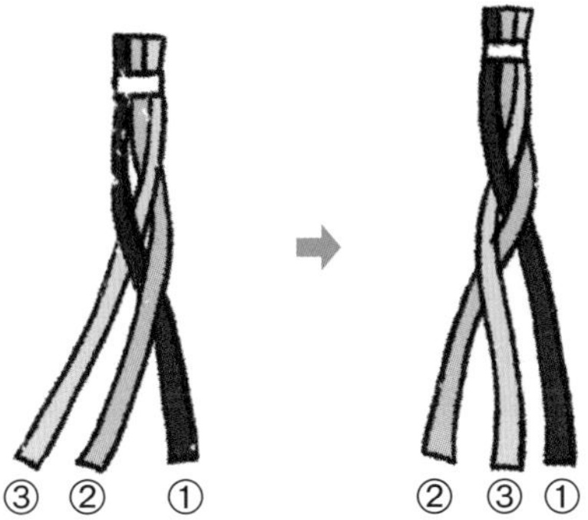

4 2と3を繰り返し、編めなくなるまで編む

065 手作り教具なら何回でも練習できる！

3歳〜 蝶結び

敏感期 ▶ 運動（むすぶ）の敏感期・日常生活の練習

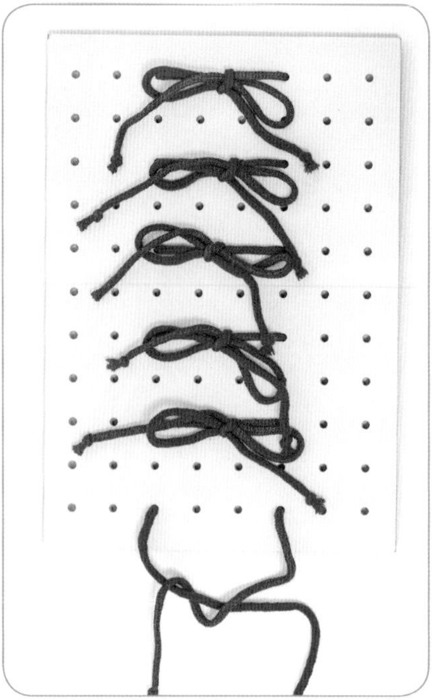

TIPS

３歳くらいになると、自分もお兄さん、お姉さんのようにエプロンのひもや、お弁当の包みを蝶結びでとめられるようになりたいとあこがれます。

しかし、実践で覚えるのはとても難しいので、このような教具を使って練習させます。この教具を使えば、机の上でゆっくりと、何回も繰り返すことができ、そのうち一人で結べるようになります。これが「困難性の孤立化」（P.34）でしたね！

写真のようにひもの色をわけることで、次がどちらのひもか伝えやすくなります。

「青のトンネルを、赤がとおるよ！」などと伝えるのも良いでしょう。

机の上で何回も練習すれば、やがて後ろ手で自分のエプロンを結べるようにもなります。

必要なモノ

- パンチングボード（有孔ボード、横25cm×縦30cm）
- 色違いのひも　30cm

作り方

1 それぞれのひもの端に結び目（玉どめ）を作り、抜けないようにする。

2 結び目のないほうのそれぞれのひもを裏から表にとおし、表の端にも結び目を作る。

＼ STEP UP! ／

簡単な蝶結びの手順

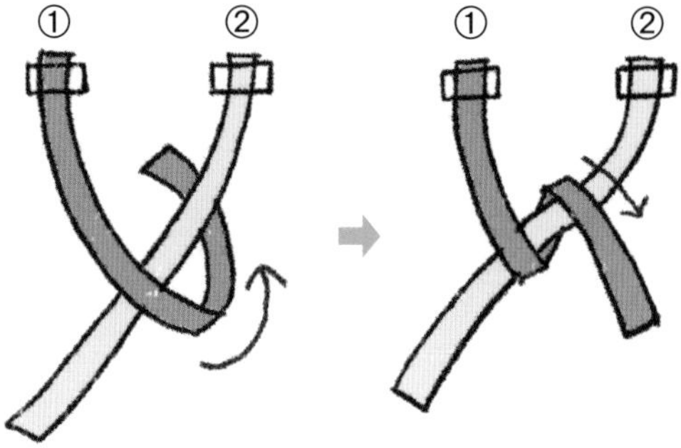

1 ①のひもを②のひもに下側からくぐらせる。

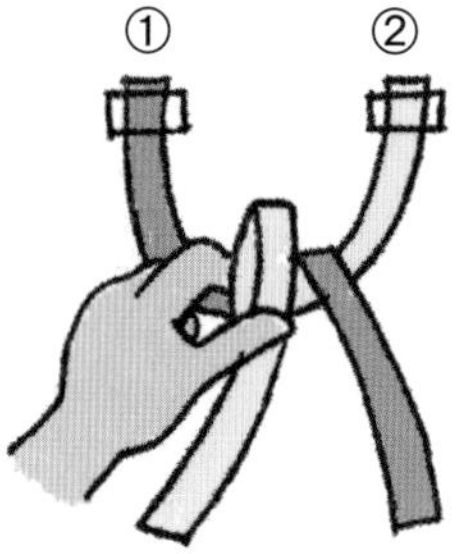

2 左手に持った②のひもを輪にして立て、根元を持つ。

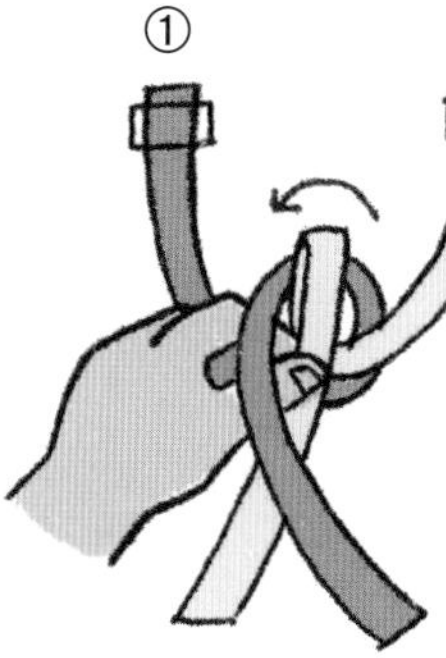

3 ②のひもを輪の上にかぶせる。

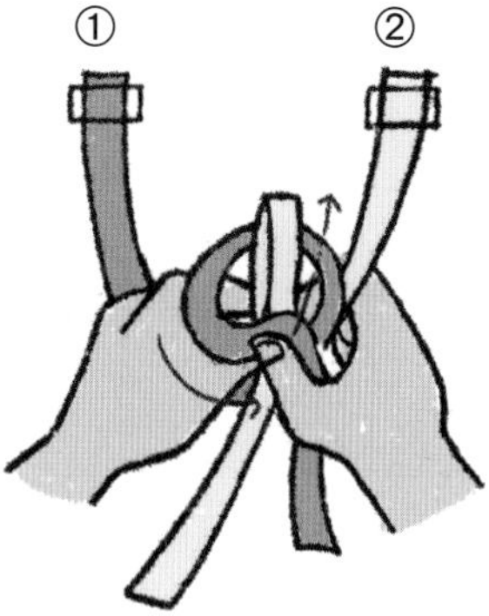

4 かぶせたひもを輪の中に押し入れる。

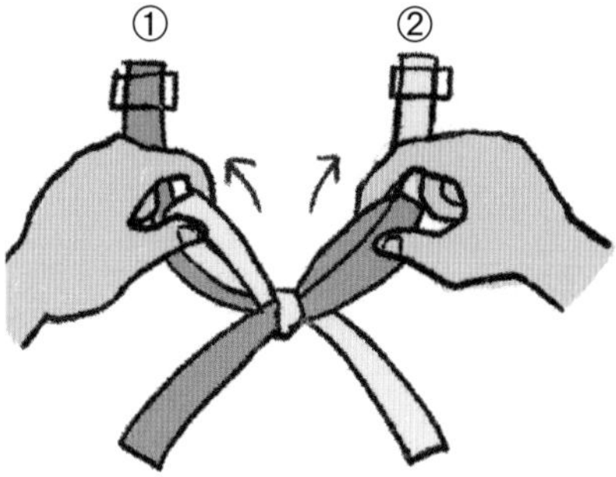

5 両方の輪を引いて、結び目がほどけないようにしたら、完成。

COLUMN

モンテッソーリ教育は日常生活の練習から始まった

モンテッソーリ教育の始まりは1907年イタリアのサンロレンツォというスラム街の「子どもの家」から始まりました。

大人でさえ生きていくのがやっとの時代でしたから、子どもたちの教育はおろか、日常生活の指導もされていませんでした。

当時は「子どもは何もできない存在」と考えられていたので、家具や道具などはすべて大人サイズで、子どもが自分一人でやりたいと思っても、自ら活動するのは困難でした。

そんな中、モンテッソーリは「子どもが一人でできるように手伝う」という精神の下、家具、トイレ、水場、使う道具などをすべて子どもサイズにした「子どもの家」を建てたのです。

すると、今まで何もできずにいた子どもたちが、積極的に自主的に活動を始めたのです。

医師でもあったモンテッソーリは、子どものそれぞれの活動を分析して、彼らの力が伸びるような教具を考え、「お仕事」へと環境を整えていきました。

それまで何もできないと思われていた「子どもの家」の子どもたちは日常生活を送るために必要な能力をどんどん身につけていくことで、自分の人生の主人公となっていったのです。

様々なジャンルでの成功者を生み出したことで注目されるモンテッソーリ教育ですが、その原点は「日常生活の練習」から始まったのです。

「一人でできた！」が実感できる！

日常生活の練習

０～３歳までは動きそのものに興味を持たせ、その動きを何回も繰り返すことで、その動作をマスターしてきました。

ここまで出てきた動きをおさらいしてみましょう。

①落とす　②たたく　③ひっぱる　④とおす　⑤そそぐ　⑥はめこむ　⑦はさむ　⑧ねじる　⑨うつす　⑩切る　⑪貼る　⑫掛ける　⑬とめる

３歳以降は、これらの動きを組み合わせ、目的に向けて一連の動作をするようになります。これがモンテッソーリ教育の「日常生活の練習」です。

これから先、どんな境遇におかれても自分の人生の主人公になり、自信を持って生きていくために、マスターした動き、考えを総動員して活動するのです。

そして、ただ単にできたという結果だけではなく、何回も繰り返すことをとおして、その動きを「洗練」させていくことに喜びを覚えるようになるはずです。

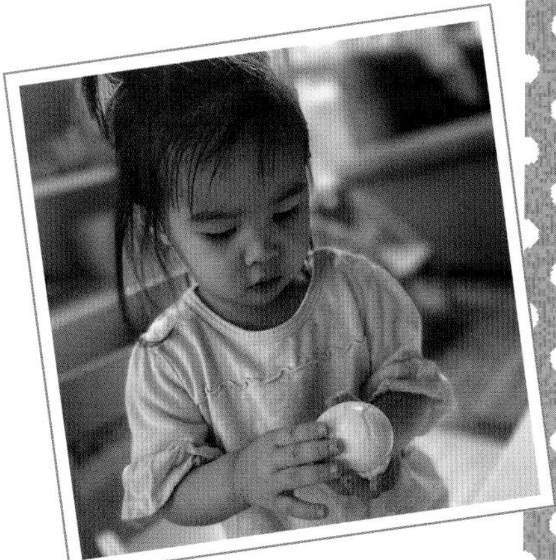

この瞬間が、「成長のサイクル」が完全に回り始める瞬間です。

そのためには、今の自分に必要な活動が、手作りの教具として環境に存在し、「お仕事」に集中させることが重要なのです。

066 最初のひと折りがすべての始まり！

2歳～ 折る

敏感期 ▶ 運動（折る）の敏感期

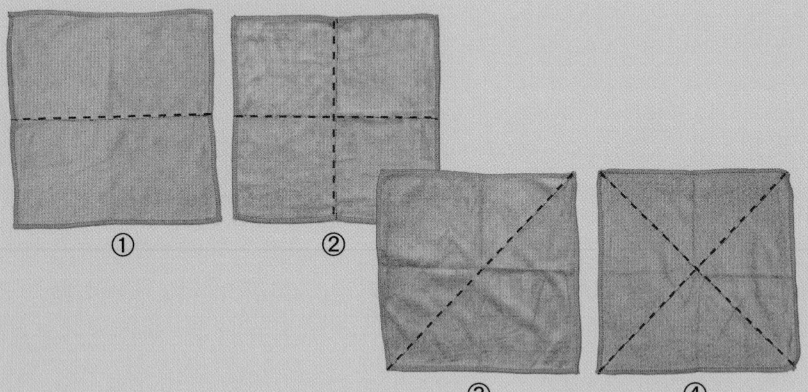

TIPS

子どもにとって折り紙などを、最初からきっちり角をそろえて折ることはとても難しい活動です。まず、やわらかく目印がついている布を折ることから始めます。

基本の４種類。①四角の２つ折り、②四角の４つ折り、③三角の２つ折り、④三角の４つ折りです。提示はゆっくりと、角と角をしっかり合わせる部分を強調します。

折れた辺の部分を、アイロンをかけるように４本指でなぞります。２つ折りができたら、半時計回りに90度回転させて４つ折りに移行します。

上手に折れるようになったら、洗濯物をたたむお手伝いを一緒にしましょう。

必要なモノ

- タオル　４枚（25㎝×25㎝程度）
- 木綿糸（赤）

作り方

ミシンで、横・斜めそれぞれ、２つ折り、４つ折りになる場所に、赤い糸で印を縫いつける。

067

マイミトンがあれば自分で拭けます

2歳～ 拭く

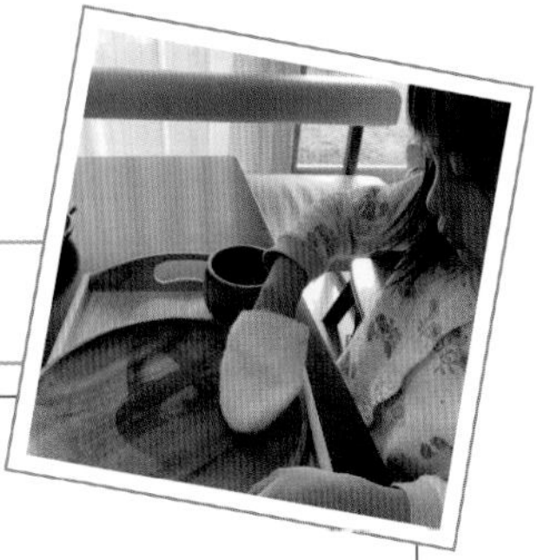

敏感期 ▶ 日常生活の練習（拭く）

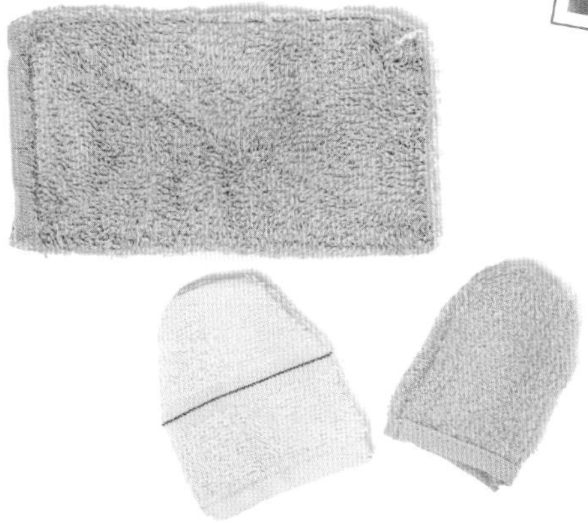

TIPS

ぞうきんやフキンでテーブルの上を拭くことも、この時期にマスターします。大人には簡単な動きですが、子どもにとっては、「ぞうきんをテーブルに押しつけながら、左右に動かす」という２つの運動を同時にバランス良く行わなければならない難しい動きなのです。そこで用いるのが「ミトン」です。子どもの手のサイズに合わせたミトンを用意してあげましょう。これなら、左右に動かしてもミトンがズレず、上手に拭くことができます。最初の提示ではミトンで左から右への一方向に拭いて見せます。大人のように左右に交互に動かすことは、子どもには難しいからです。ミトンで上手に拭けるようになったら、ぞうきんへと移行します。これもスモールステップスですね！

必要なモノ

- ミトン
- ぞうきん

作り方

1 やわらかいタオルで子どもサイズのミトンを縫う。親指が出て、残り４本が入る大きさ（６㎝×７㎝程度）のものを複数作る。

2 ぞうきんも子どもサイズ（７㎝×12㎝程度）のものを用意する。

068 子どもがやりやすい方法を提示する

2歳半～ 皿を拭く

敏感期 ▶ 日常生活の練習（拭く）

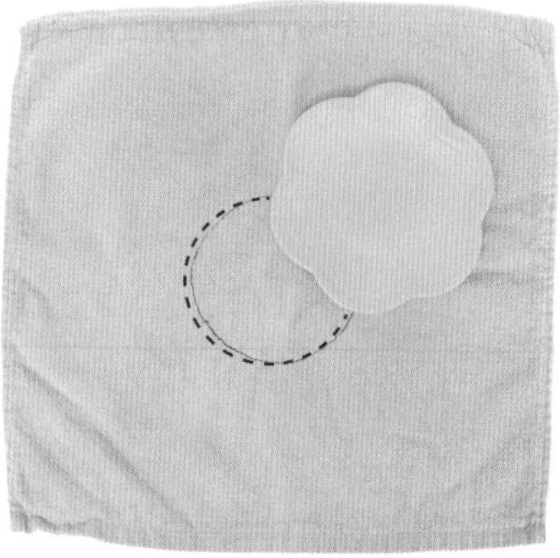

TIPS

2歳半くらいから、お手伝いをして、まわりの人から感謝されることが、とても嬉しい時期になります。洗った皿を拭くのもそうした活動の一つです。

しかし、この年代の子どもの力では、大人がするように、皿とフキンの両方を持って空中で拭くことはとても難しいのです。

そこで、タオルを机の上に広げ、真ん中に皿を置きます。四隅からタオルをたたんで、皿を包みこみます。そして、上から押すようにして皿の水を拭き取ります。

こうすれば、手の力が弱い子どもでも、失敗することなく皿を拭くことができます。

モンテッソーリ教育では、極力本物を使うことを心がけます。

そのために皿も本物の陶器を用意します。

何でも床に落としてみたい時期をすぎたら、本物の皿を使わせてあげましょう。

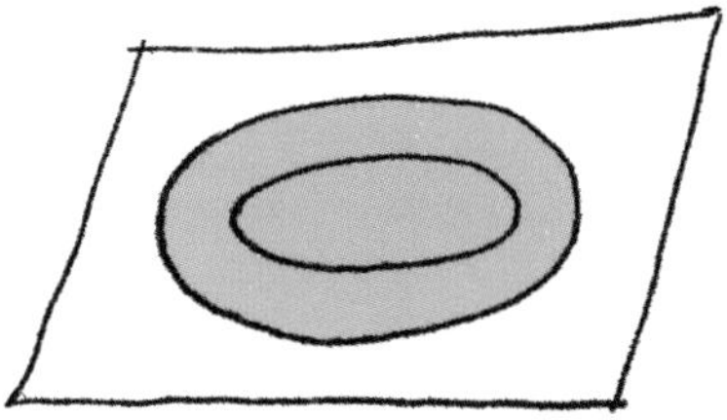

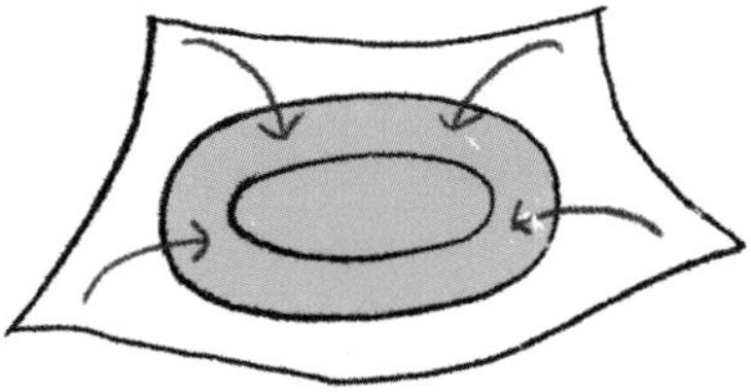

1 タオルを広げ、中央に皿を置く。

2 タオルの四隅をイラストのようにお皿の内側に入れこむ。

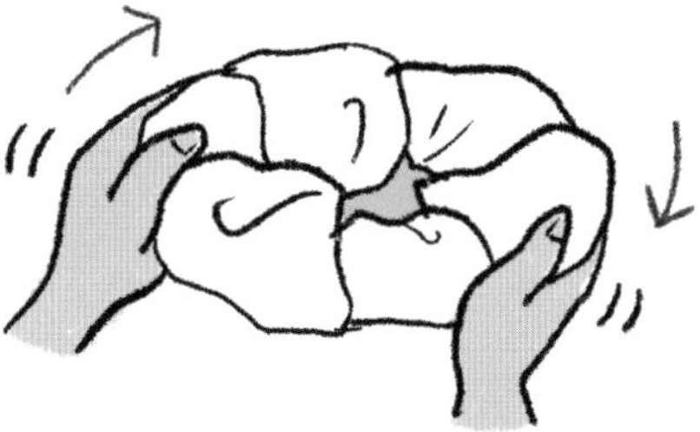

3 テーブルの上に置いたまま、上からフキンを押しつけて拭く。

本物から受け取れる質感や重みなどの感覚は生涯の財産になるからです。

もし失敗して割ってしまっても、モノは床に落とすと割れるという事実を学ぶことができます。

そして、その学びから、次回からは大切に扱おうという気持ちが芽生えるのです。

必要なモノ

- タオル
- 皿

作り方

タオルの真ん中に丸い印（約10㎝）を縫いつける。

> ! 布を折る（P.148）お仕事ができてから

069

自分のパンツも洗えるようになります！

2歳～ 洗濯

敏感期 ▶ 日常生活の練習（洗う）・模倣期

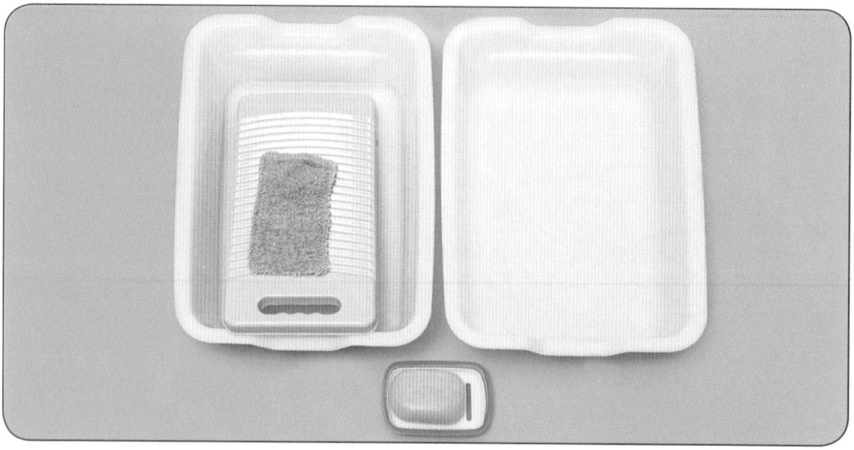

TIPS

0～6歳の間に、子どもは日常生活の活動を、一つずつ自分のモノにして「自分の人生の主人公」になっていきます。モンテッソーリ教育は物事の原理原則から理解していくのが基本。「洗濯」もその活動の一つです。自動洗濯機にお任せの時代だからこそ、自分の手で最初から最後までやってみることに意味があります。3歳までに身につけた動きを組み合わせ、左手で洗濯板を押さえながら、右手で洗濯物をゴシゴシと洗う。石鹸洗い、すすぎ、絞る、干すまでを経験します。何回も繰り返すことで、動きが「洗練」されてくることに喜びを覚えます。トイレットラーニングの一環として、お風呂場にセットして、自分のパンツを洗濯するのも良いですね！

必要なモノ

- 桶2つ
- 石鹸
- 石鹸置き
- 洗濯板

070 自分とまわりの人々に配慮ができるようになる

2歳半～ 掃除

敏感期 ▶ 日常生活の練習・模倣期

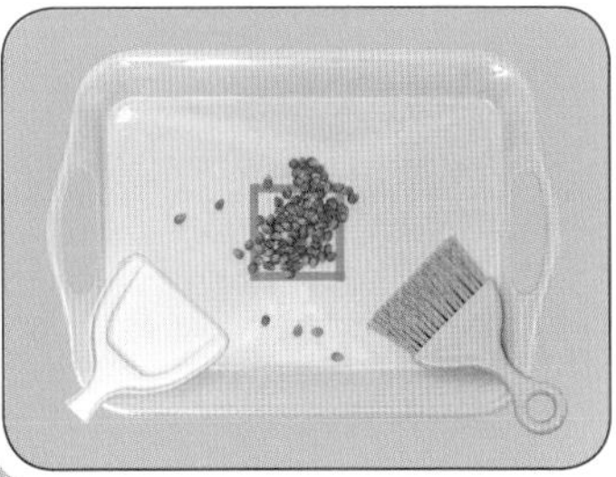

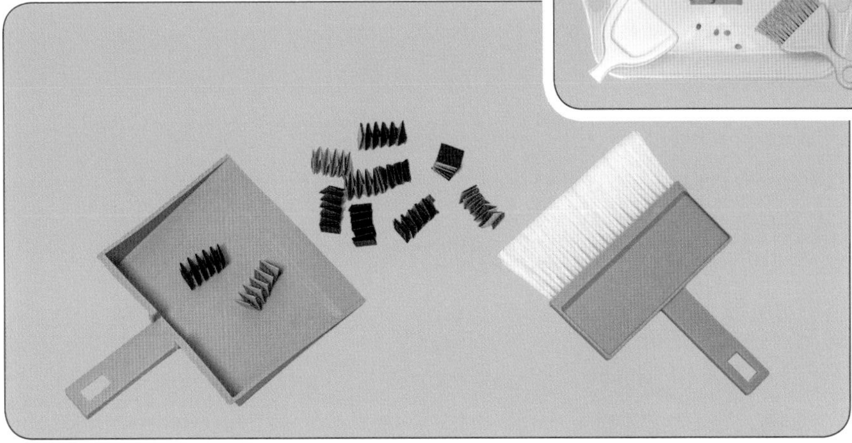

TIPS

何でも真似したい模倣期の子どもは、お母さんの掃除も真似します。この時期になったら、子ども用の掃除道具を用意します。大事なことは、道具が子どもサイズであること。最初は小さいゴミはうまく掃けないので、紙で作った上の写真のようなゲジゲジを床にまき、ちり取りとほうきで掃く練習をします。

次に右上の写真のように、コーンなどの細かいモノで練習します。トレイの中心に枠を書き、その中に一度集めてから、ちり取りにうつす練習をします。高学年になったら子どもの机の上に、マイほうきとちり取りをセットしましょう。

消しゴムのかすは自分でゴミ箱に！　次に使う人のための配慮ができるようになっていきます。

必要なモノ

- 小さめのちり取りとほうき
- 画用紙で作ったゲジゲジ
- コーンなど
- トレイ

ゲジゲジの作り方

1 2㎝×16㎝の紙を2枚用意し、1枚の紙の端にのりをつける。

2 もう1枚の紙を直角になるように貼り合わせ、交互にたたんでいき、たたみ終わったら端をのりでとめる。

071

心もスッキリ！　大人気の「お仕事」！

2歳～　窓拭き

敏感期 ▶ 日常生活の練習・模倣期

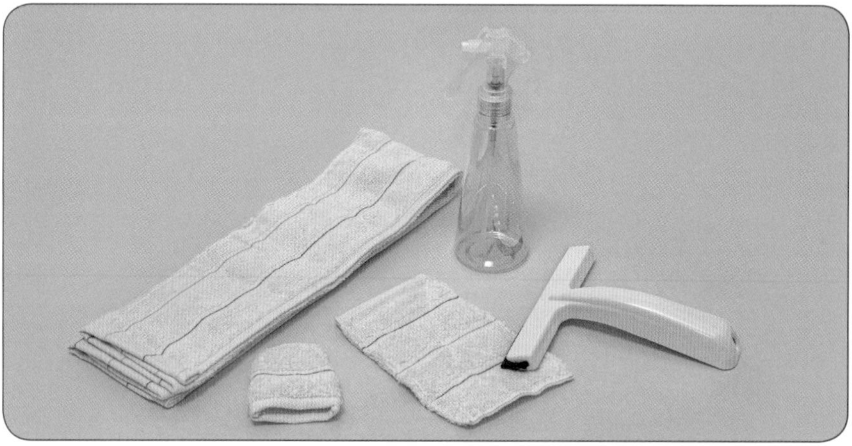

TIPS

最初に長い布を窓のサッシに敷いておきます。この教具は「スプレーのノズルから手指を使って狙った場所に水を出し、ワイパーを窓ガラスに両手でしっかりと密着させ、水を切り、ミトンで拭き取る」という一連の活動です。小さな子どもの手で扱えるスプレーを探すことが大切です。

まず親が一連の活動をしっかりと提示します。そして、水は窓にしかけないことを約束します。

とても楽しい「お仕事」ですが、本来の活動からずれて、単なる水遊びになり始めたら、切り上げることがポイントです。

必要なモノ

- スプレー霧吹き
- 水切りワイパー
- ミトン
- フキン
- 長い布（70㎝）

072 やりたい放題やらせてあげましょう！

2歳〜 ビジーボード

敏感期 ▶ 運動（あらゆる手指の動き）の敏感期

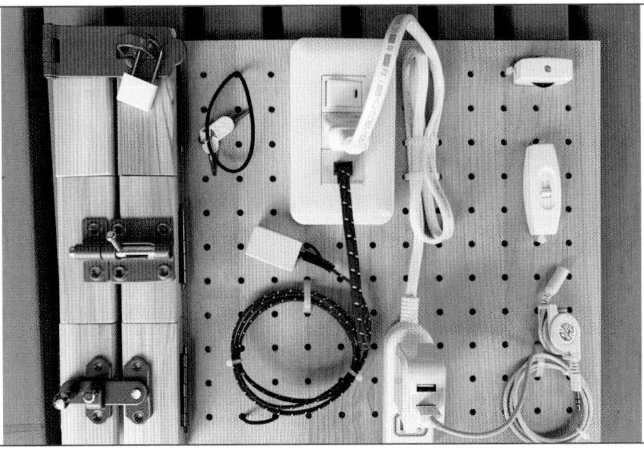

TIPS

運動の敏感期にある子どもは、時には触ってほしくない、危ないものでもおかまいなしです。「またいたずらして〜」と頭ごなしに怒って、取り上げてしまうのではなく、「心ゆくまでさせてあげられる方法はないだろうか？」と考える。これが、手作り教具の一番大切な点です。「ビジーボード」はこの年代の子どもが触りたくてしょうがない器具を、パンチングボードに結束バンドで固定してあります。

固定するモノは子どもをよく観察し、興味があるものをボードに固定します。わが子が楽しめる材料を探すのも楽しみの一つですね。子どもの目線の高さで壁に取りつけられれば、より活動しやすくなります。

必要なモノ

- パンチングボード（サイズは自由）
- コンセント
- スイッチ
- コード
- 鍵など
- 結束バンド
- 蝶つがいなど

073 外出できないときにはこんなお仕事はいかが？

2歳～ キラキラ採り

敏感期 ▶ 運動・感覚（視覚）の敏感期

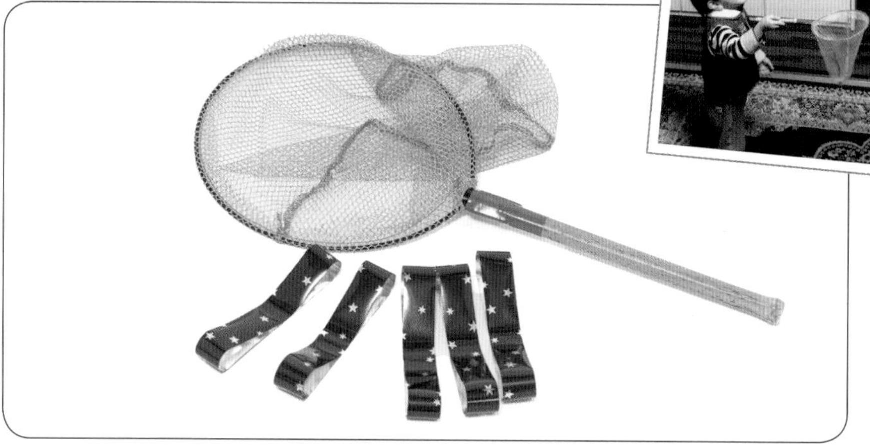

TIPS 外出できないときは、室内での虫採りはいかがでしょう？

キラキラ光る折り紙の輪を、親が投げて、それを虫採り網で捕まえます。これにより反射神経・動体視力が養われます。

注意点は室内ですので、網の柄は短く切っておいたほうが良いでしょう。

ホームメイド・モンテッソーリには、こうでなくてはいけないというルールはありません。

親が子どもの成長過程を学び、わが子の今を観察し、オリジナルのお仕事をどんどん作って試してみましょう。敏感期は体験のすべてが一生の宝になる素敵な時期なのです。

必要なモノ

- 虫採り網
- キラキラ折り紙

作り方

1.5cm幅に切った折り紙を輪にし、両端をのりでとめる。

「はっきり・くっきり・すっきり」わけ、
整理して定着させていく

感覚の敏感期

「感覚は世界の入り口である。人間が世界を知るための第一歩は、自分の感覚で感じることから始まる」

モンテッソーリはこう言っています。

０～３歳の子どもは、自分の身のまわりの物事を、見て、聞いて、触って、嗅いで、味わって、意識することなく、どんどん吸収していきます。それは、あたかも大きなバケツに、情報が無造作に投げこまれているように、混とんとした状態で蓄積されていきます。

そして、3歳が近づいてくると、このためこんだものを、意識的に整理したいという強い衝動に駆られるようになります。これが「感覚の敏感期」です。

視覚・触覚・聴覚・味覚・嗅覚の五感を、それぞれ独立させて使い、「はっきり・くっきり・すっきり」わけて、整理して自分の中に定着させていくのです。

この時期に身についた感覚は、子どもがこれから先、ＡＩ時代を生き抜いていくための武器になり、人生を豊かにする伴侶となります。

五感を意識的にそれぞれ独立させて働きかける教育法はモンテッソーリ教育以外には見当たりません。これが現代社会においてモンテッソーリ教育が注目されている一つの理由です。そして、その際に絶対必要なのが、モンテッソーリ教具なのです。

074

感覚の敏感期の始まりは同じ色合わせから！

2歳〜

マグネットのペアリング

敏感期 ▶ 感覚（視覚・同一性合わせ）の敏感期

TIPS

感覚の敏感期が訪れると真っ先にするのが、同じ種類のものを対にすること。これを「ペアリング」と言います。一番わかりやすいのが、色のペアリングです。この教具はそのような感覚の敏感期の入り口に有効です。赤・青・黄という三原色のボードに同じ色のマグネットを合わせていきます。

このような、わかりやすい教具を置いておくと、子どものほうからこの教具を選び、活動し始めます。「感覚の敏感期がきたよ〜」と教えてくれているのです。もちろん、親が感覚の敏感期の存在を知っていることが大前提です。

必要なモノ

- ホワイトボード
- 色のマグネットシート
- 赤・青・黄のマグネット
- マグネットを入れるケース

作り方

ホワイトボードに赤・青・黄のマグネットシートを貼る。

075 お手本のとおりに並べられるかな？

2歳半～ マス目マグネット

敏感期 ▶ 感覚（視覚・同一性合わせ）・秩序の敏感期

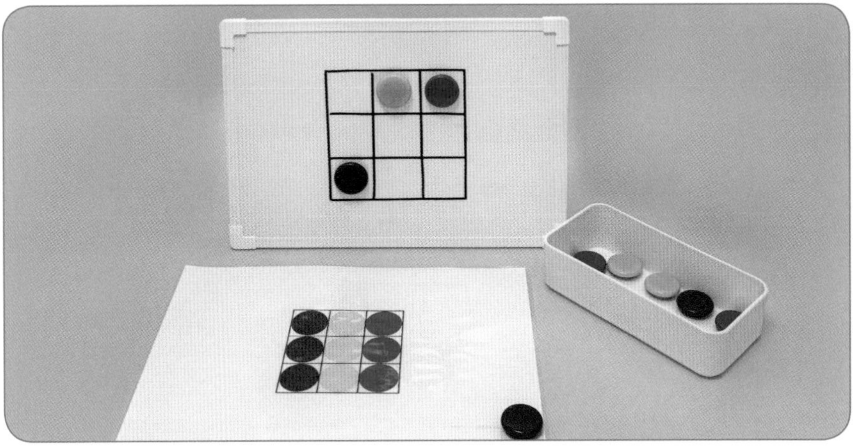

TIPS

前ページの同一性合わせができるようになったら、お手本を見ながら別の場所に見本と同じパターンを作ることに挑戦します。子どもにとっては、難易度がかなり上がります。

難しいようでしたら４マス・１色から始めましょう。「秩序の敏感期」にも入ってきますので、きっちり並べたいという欲求の現れる時期でもあります。

このような活動をとおして、お手本を見ながら、それを再現する能力を高めます。やがて、お手本を見ながら漢字を学ぶ、などの勉強につながります。

必要なモノ

- ホワイトボード
- 黒のラインテープ
- ３色のマグネット
- マグネットを入れるケース
- 紙のお手本を数種類

作り方

1 ホワイトボードにラインテープで９個のマスを作る（最初は４マスでも可）。

2 紙にお手本を作り、ラミネートしておく。

076 動きながら学ぶのがモンテッソーリ教育です！

2歳半～ 色合わせカップ

敏感期 ▶ 感覚・視覚（同一性合わせ）・運動（入れる）の敏感期

TIPS

感覚の敏感期の「同じ」へのこだわりが行動に現れます。
「同一性」がわかってくると、次は「比較」、そして「分類」へと移行していきます。100円ショップで手に入るもので、子どもの人生を左右する知性を自宅で援助することができるのです。

感覚教育でも、言語教育でも、数教育でも、モンテッソーリ教育に共通することは、必ず手指を動かしながら学ぶということです。紙の上だけではなく、同じ色のカップの中にポンポンを入れて、パチンとフタを閉める運動が伴った教具です。

必要なモノ

- カラーボトル５色
- ５色のポンポン（カラーボトルと同じ色）

077

「抽象化」ってなぁに？

2歳半〜 実物合わせ

敏感期 ▶ 感覚（視覚）・言語（抽象化）の敏感期

TIPS

子どもの頭の中では、現実のモノと紙の上のモノが大人が思っているほどには、一致していないものです。モンテッソーリ教育ではそこをよく理解して、慎重にアプローチしていきます。この教具は、写真のような動物のレプリカと紙の絵を一致させる活動です。たとえば象を合わせることができたら、「そうだね！　これが象だね！　鼻が長くて、耳が大きい動物だね」と言語を定着させていきます。これを繰り返していくと、「抽象化」（P.136）ができるようになります。モンテッソーリ教育の感覚教育では、最初に出会うものは実物から。そして、写真や絵、モチーフ、文字・言語という段階を踏みます。

五感で感じ取った情報を、どんどん言語に代えて定着させ、抽象化を進めていくのです。

必要なモノ

- 動物のレプリカ
- レプリカと同じ動物の絵カード

078 驚きと喜びの手作り教具！

2歳～ ペア探し

敏感期 ▶ 感覚(同一性)・運動(開ける)の敏感期

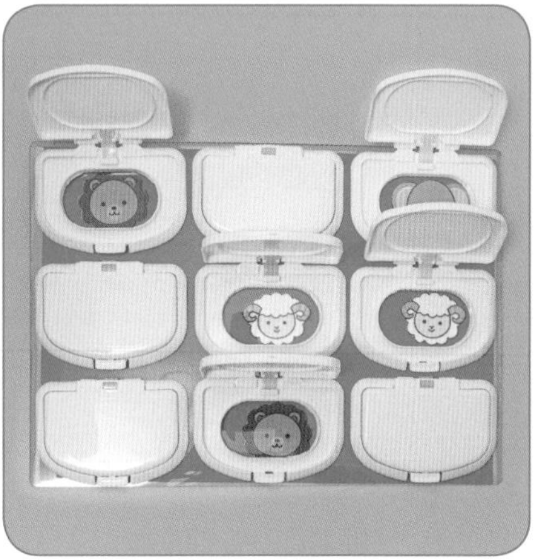

TIPS

おしり拭きに使ったウエットティッシュのフタでこんなに素敵な教具が作れます。

カチッと押すと、ポンとフタが跳ね上がり、かわいい動物が現れます。

どの部分を押せばいいのか、ゆっくりと提示しましょう。指を使う運動の敏感期と重なり、楽しく何回も集中します。そして、感覚の敏感期から同じ動物を探して喜びを感じます。

中の絵を定期的に変えることで、繰り返し活動できますし、言葉の数もふやすことができます。

必要なモノ

- ウエットティッシュのフタ　9個
- クリアーホルダー　1枚
- 動物などの絵9枚（4種を対にする。1種は対にならない）
- 色画用紙　1枚
- 両面テープ

作り方

1. クリアホルダーに使い終わったウエットティシュのフタを並べて両面テープで貼る。
2. フタの開いた場所に動物の絵がくるように、色画用紙に動物の絵を9枚貼り、クリアホルダーに入れる。

079

文化の敏感期も訪れます！

3歳〜 国旗のペアリング

敏感期 ▶ 感覚（視覚）・文化の敏感期

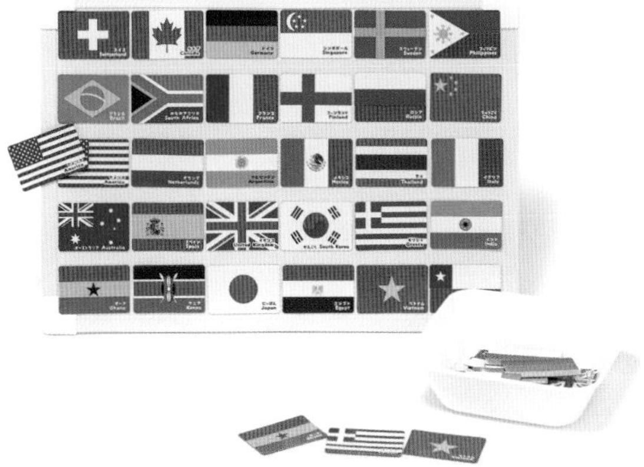

TIPS

ホワイトボードに貼った国旗に合わせてマグネットを貼っていく「お仕事」です。国旗は様々な色彩と、幾何模様の集大成であり、視覚の敏感期にある子どもの心をつかみます。

同時に、「文化の敏感期」の訪れにより、世界には様々な人々がいるということに興味を持つようになります。

国旗を合わせることができたら、地球儀や世界地図を広げながら、国の名前だけでなく、様々な文化、服装や食べ物などにまで話を広げることができます。

真のグローバル人をはぐくむためには、この年代から人間の多様性について語っていくことが必要なのです。

必要なモノ

- ホワイトボード　１つ
- 国旗のマグネット　２セット
- 国旗のマグネットを入れる皿

作り方

ホワイトボードに、国旗のマグネット１セットを両面テープで貼る。

030 分類してよりわける！　知性の芽生え！

3歳～　ビーズの分類

敏感期 ▶ 感覚（分類）・運動（つまむ）の敏感期

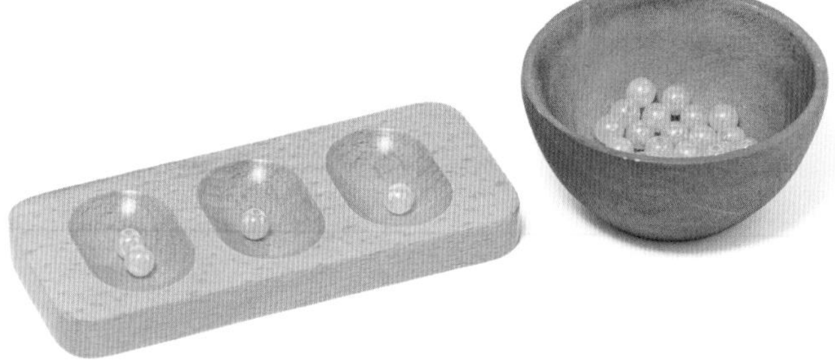

TIPS

感覚の敏感期が進むと、写真のように、同じ形だけれど、色が微妙に違うことにも気がつき、こだわり、分類（ソーティング）するようになります。

①同じものを対にする（ペアリング）
②比較する（グレーディング）
③分類する（ソーティング）

一見、子どもは同じような活動を繰り返しているように見えますが、子どもの活動の中身はどんどん進化しているのです。

必要なモノ

- 色違いのビーズ３種類５個ずつ（７㎜位）
- ビーズを入れる器
- ３つにわかれた皿

※ピンセットでつまむ活動を加えても良い。

081 中身を見ないで触ることで触覚が研ぎ澄まされる！

3歳～ 貝の分類

敏感期 ▶ 感覚（分類・触覚）の敏感期

TIPS

きんちゃく袋の中に手を入れ、中身を見ずに、手の触覚だけで貝の形を判断し、3つの皿に分類していきます。視覚が遮断されるので、触覚が研ぎ澄まされます。目かくしをすると効果的です。

貝だけでなく、木の実、積み木など、中身を入れ替えて、様々な立体を感じて分類します。最終的には目を閉じて取り出し、分類して、皿に運べるようになります。

触覚を意識的に独立させて使うことを身につけると、脳に伝わる情報量が格段に上がります。お子さんと一緒に、親御さんも目を閉じて挑戦してみてください。触覚に集中する意味が体感できると思います。

必要なモノ

- ３種類の貝　それぞれ５個位（できる限り大きさや色が同じ貝）
- 貝を入れる皿　３枚
- きんちゃく袋
- 目かくし

082

小さいモノに目の焦点を合わせたいという衝動！

1歳半〜 センサリーボトル

敏感期 ▶ 感覚（視覚）・小さいモノの敏感期

TIPS

赤ちゃんは生まれたときは30㎝くらいの距離にしか焦点を合わせる力がありません。だから、一生懸命、いろいろなものに焦点を合わせる練習をします。そして、小さなものにも焦点が合わせられたときにも喜びを覚えます。

小さくて、緻密なモノを見てみたいという強い衝動、これが「小さなモノへの敏感期」の現れです。ボトルの中でゆっくりと漂う綺麗なスパンコールに、きっと夢中になりますよ。

必要なモノ

- 化粧水のボトル　２本（高さ12㎝位）
- 洗濯のり　60ml
- 水　60ml
- スパンコールやビーズ

作り方

1 化粧水のボトルの半分に洗濯のりを入れ、残りに水をそそぐ。

2 そこに好みのスパンコールやビーズを入れる。

083

綺麗な色が分離する驚き！

2歳半〜 色合わせのお仕事

敏感期 ▶ 感覚（視覚）の敏感期

TIPS

ボトルを振ると色が混ざり、そして、分離していくその様子を観察します。

視覚を刺激し、色彩感覚も磨かれます。豊かな色彩感覚は、わが子の一生の宝になります。「混ざると色が変わる」という現象は子どもにとって、とても刺激的です。

料理のときなどもぜひ、お手伝いをしながらたくさん体験をさせてあげましょう。

必要なモノ

- 化粧水のボトル（高さ12cm位）5本
- ベビーオイル　150ml
- 水　150ml
- 食用染料（水性）　少々
- 油性染料　少々
- 接着剤

作り方

1 レンジで温めたベビーオイルに、油性染料をまぜ、冷めたら化粧水のボトルにそそぐ。

2 水に食用染料をまぜ、化粧水ボトルにそそぐ。水とオイルは1対1で入れる。フタはきつく閉め、接着剤で開かないようにする。

084 ザラザラを手でなでて感じたい年頃です！

3歳～ 触覚板

敏感期 ▶ 感覚（触覚）の敏感期

TIPS 「感覚の敏感期」が訪れると、子どもは手のひらや指でものを触り、その感触を味わうことに夢中になります。「汚いよ」と言っても、地面を手でなでたがるのもこのためです。このような行動が観察されたら、この触覚板を作ってあげましょう。

触覚に集中させるために、目を閉じて視覚を遮断すると効果的です。擦っても痛くならない、手の力加減も身についてきます。

必要なモノ

- 10㎝×10㎝の板　３枚
- 手触りの違うサンドペーパー ４種
- テープのり

作り方

表面がツルツルした木の板に、サンドペーパーをテープのりで貼る。

1 左：板の半分にサンドペーパーを貼る。

2 中央：縦９㎝、横2.5㎝の木とサンドペーパーを交互に貼る。

3 右：サンドペーパー（縦９㎝、横2.5㎝）を目の粗い順に右から４枚貼る。

085

聴覚が研ぎ澄まされるこの時期だからこそ！

3歳～ 雑音筒

敏感期 ▶ 感覚（聴覚）の敏感期

TIPS 「聴覚」を孤立化させた教具です。筒の中には、鉄球、米、砂、豆など、様々な粒が入っています。赤と青の筒にそれぞれ対に同じものが入っているので、振って同じ音がする筒を探し出して、対にする「お仕事」です。外から見ても同じなので視覚が遮断されて、聴覚だけを研ぎ澄ますことができます。こうした活動を通して、注意深く耳を傾ける習慣が身につきます。応用として、手元で青い筒を振り、その音を記憶して、5mくらい先に並べた赤の筒の中から、同じ音を探し出して持ってくるなど、ゲーム性を高めることもできます。

必要なモノ

- 化粧水用のボトル　12本（高さ12㎝位）
- マークシール（赤、青６枚ずつ）
- 中身（ビーズ、鉄球、砂、米など材質や粒の大きさが違うもの）
- ビニールテープ（幅19㎜）
- 接着剤

作り方

1 100円ショップの化粧水用のボトルに様々な粒を対にして入れ、フタは接着剤でとめる。

2 外から中身が見えないようにビニールテープを巻き、フタに赤、青のマークシールを貼る。

036

嗅覚もこの時期から研ぎ澄まされます！

2歳～ 嗅覚筒

敏感期 ▶ 感覚（嗅覚）の敏感期

TIPS

感覚の敏感期の中の「嗅覚」を取り出した教具です。

普段の生活でも、野に咲く花、食材など、「においを嗅いでみようか？」と声をかけて、一緒に嗅覚を磨いてみましょう。

嗅覚は人生を豊かにするだけでなく、身の危険を察知するのにも役に立ちます。たとえば、ガス漏れを察知したり、腐ったものを口に入れる前ににおいで察知できたり……。

様々なにおいの情報が多くストックされることで、より多くのにおいをかぎわけることができるようになります。

「五感」それぞれに、独立して働きかけ、磨けるカリキュラムは、モンテッソーリ教育ならではと言えるでしょう。

必要なモノ

- スパイスボトル３つ
- シナモン、ローリエ、バニラビーンズ他

作り方

スパイスボトルに、それぞれのハーブを入れる。３カ月くらいするとにおいがしなくなるので中身を入れ替える。

母国語を完璧にマスターできるのも
敏感期のおかげ

言語の敏感期

「言語の敏感期」はお母さんのお腹にいるときから始まり６歳まで続く、一番長い敏感期といえます。世界中で一番難しいともいわれる日本語を習得できるのは、この言語の敏感期の期間の力が後押ししているからなのです。逆に、中学校から始めた英語で、あれほど苦労したのは、敏感期を過ぎてしまってから始めたからです。乳幼児期の６年間がいかに言語にとって大切かおわかりいただけると思います。

言語の敏感期は次の４つの順番で訪れます。

聞く敏感期 ⇒ 話す敏感期 ⇒ 書く敏感期 ⇒ 読む敏感期

「あれ？〈書く〉と、〈読む〉が逆なんじゃないの？」と思われる方もいるかもしれません。３歳前後は運動の敏感期も訪れているので、自分の手を使って、いろいろなもの書いてみたいという衝動に駆られるようになるから〈書く〉ことが先にくるのです。言語において一番大切な教具は私たち大人の語りかけです。絵本の読み聞かせだけでなく、世の中で起きていることを、ゆっくりとした言葉で実況中継してあげましょう。

３歳までの子どもは、無意識的にどんどん吸収することができます。そして、聞いてきた言葉を３歳ごろからどんどん発語するようになります。これが「言語の爆発期」です。

３歳を過ぎると、今度は文字を書きたいという衝動に駆れてきますので、P.174の「砂文字板」などで、敏感になってきた触覚を使いながら身につけていきます。

言語の分野でも、必ず動きを伴いながら学ぶのがモンテッソーリ教育なのです。

COLUMN

幼稚園生に文法？

小さい子どもに文法なんて！　と思われるかもしれませんが、０～６歳までに世界で一番難しいとも言われる日本語をマスターしてしまう素晴らしい時期、それが「言語の敏感期」。文法も意識することなくどんどん学んでいくことのできる時期なのです。

５歳以降にこのような「お仕事」はいかがでしょう？

３㎝幅の白い短冊に鉛筆で「しろいかみ」と縦書きで大きく書きます。そして、「しろい」と「かみ」の間をはさみで切ってしまいます。子どもたちは唖然（あぜん）としています。

次に順番を入れ替えて、「かみしろい」と読んでみます。子どもたちは「変だよね～！」と大笑いするでしょう。

「秩序の敏感期」も訪れているので、順番が違うと「何か変だなぁ？」と感じるのです。「これが生きた文法」なのです。

これを繰り返すと「形容詞は名詞の前につく」ということを体で覚えることができます。

このように敏感期の後押しがあれば、手を動かし、楽しみながら文法もマスターしていくことができるのです。

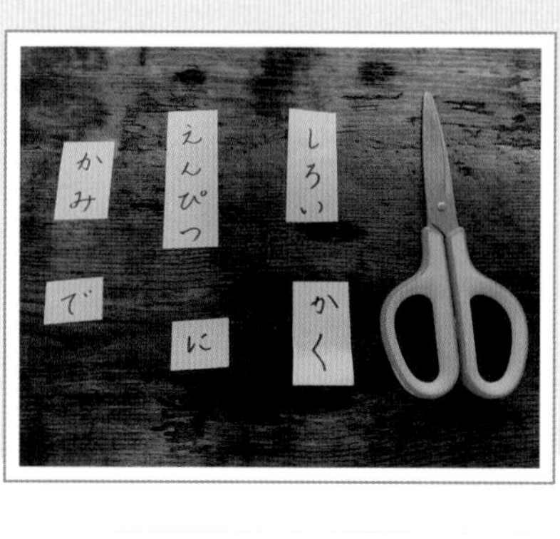

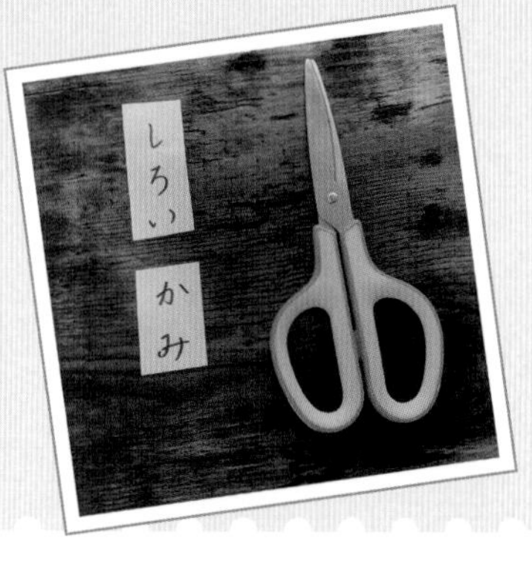

087

言葉を爆発的に覚える時期に！

2歳半〜 文字合わせ

敏感期 ▶ 感覚（同一性）・言語（読む）の敏感期

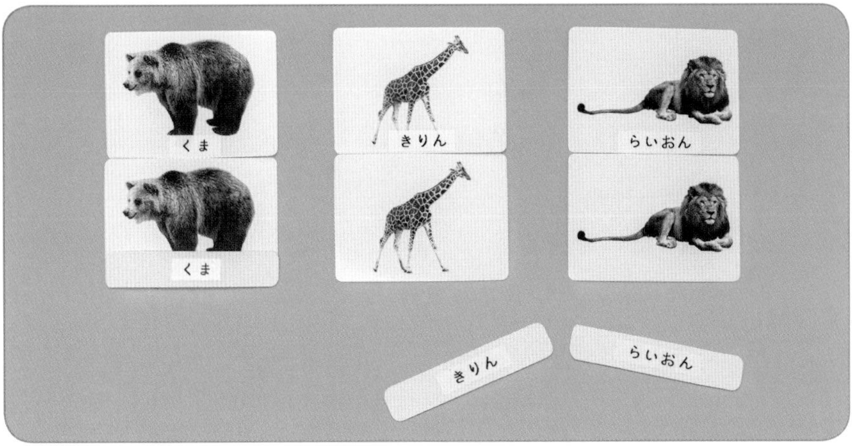

TIPS

２歳半くらいから同じものを対にするのが楽しくなると同時に、モノにはすべて名前があるということも知ります。だから、「これなぁに？」を連発するようになるのです。「言語の爆発期」の訪れです。この強い衝動を活用して、語彙を増やし、文字ともリンクさせることができます。絵を対にできたら、文字のカードも対にしていきます。カードは「哺乳類」「爬虫類」「植物」「くだもの」など、カテゴリー別にわけて提示することで、分類する力を養うことができます。文字はひらがなのみに限定し、カタカナは入れません。対にできたら、「キリンはアフリカにいて、首だけでなく、舌も長いんだよ」と、様々な情報を語りながら活動するとさらに語彙が豊かになります。

必要なモノ

- 動物カード２セット
- 厚紙
- テプラ（なければ手書き）

038

ザラザラを触りながら、ひらがなを覚えます

3歳〜 砂文字板

敏感期 ▶ 言語（書く）・感覚（触覚）・運動の敏感期

TIPS

文字を書きたいという「言語の敏感期」と、手でザラザラをなぞりたいという「感覚の敏感期」が並行して訪れます。砂文字を何回もなぞることで、子どもたちは正しい書き順を覚えることができます。

「あ」などの書き順が複雑なひらがなは後回しにし、最初は写真のような一筆で書けるひらがなを選びます。

提示をするときには、人差し指と中指2本でゆっくりとなぞって見せます。その後にその文字を発語します。これを2回提示してから、「やってみる？」と誘います。

必要なモノ

- コースター（木製でも紙製でも可）
- サンドペーパー
- 文字の型紙（PCワード）

作り方

1. ひらがなをWordなどを使って打ち、出力。そのひらがなを切り抜き、型紙とする。
2. サンドペーパーを型紙に合わせて切り抜き、コースターに貼る。

039 人気のマグネット50音もホームメイドで！

3歳～ 50音並べ

敏感期 ▶ 言語（読む）・感覚（同一性）の敏感期

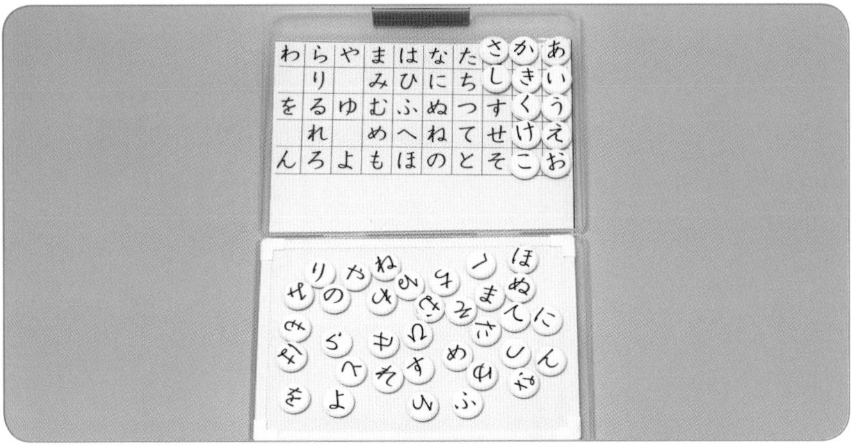

TIPS

文字を書くためには、文字の存在を知る必要があります。50音ならべはそのための大切な活動ですので丁寧に何回もやりましょう。

最初は文字を探すのが大変ですので、あ行、か行、さ行くらいに絞って始めるのも良いでしょう。すべて組みあがったら縦読み、横読みなどを一緒にしてみましょう。ただお経のように覚えているのか、一文字ずつ理解しているのか、段階がわかります。

50音表のどの辺にどの文字があるのか、体で覚えていると、文字を書くときのアウトプットも速くなります。

必要なモノ

- ファイルケース（A4）
- ホワイトボード　２枚（30㎝×22㎝）
- マグネット　50個
- マグネットシート
- シール用紙

作り方

1. マグネットシートにあいうえお表を印刷。
2. シール用紙にもあいうえお表を印刷し、切り取ってマグネットに貼る。ホワイトボードをファイルケースの上下に両面テープで貼っておく。

090 驚き、喜びながら文字を覚えます！

3歳～ クルリンパ

敏感期 ▶ 言語（読む）の敏感期

TIPS

言語の教具でも、モンテッソーリ教育では必ず動きが伴うものを使います。

こんな魅力的な教具も簡単に手作りすることができますよ！

箱の上から「いちご」のカードを入れると、箱の中でカードがひっくり返って、「い」のカードが出てくる仕組みです。

子どもはキャッキャ言いながら、50音をあっという間にマスターしてしまいます。

必要なモノ

- シューズケース
- 厚紙（工作用紙）
- コースター
- 50音のカード
- カッター
- はさみ
- 両面テープ

作り方

動画でよくわかる
クルリンパ

1 まずカードを作ります。50音のカードに、実物の絵が入ったカードを貼り、反対側には「い」と書きます。
カードはたとえば、「いちご」のカードを入れたら、ひっくり返って「い」が出てくるように作ります。

2 次に箱を作ります。シューズケースを縦にして、上の部分にカードの入り口をカッターナイフで開けます。
前面の下から15㎝くらいのところにカードの出口を開けます。内側の中ほどに、厚紙で台を作ります。
この部分にカードが落ち、ひっくり返って倒れたカードが中に作られたすべり台を通って外に出て、カード止めに止まる仕組みです。

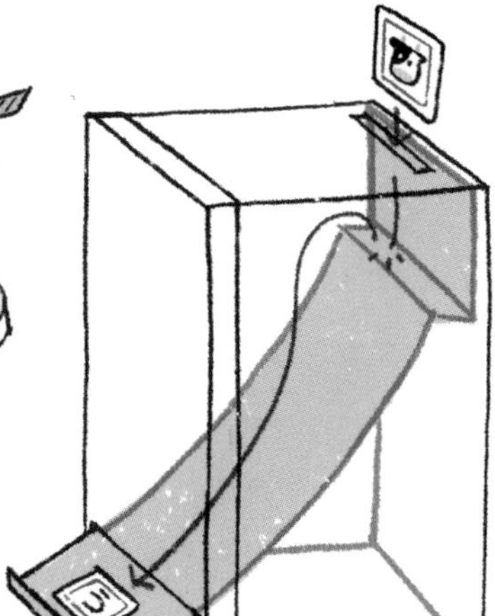

厚紙(工作用紙)を箱の中ですべり台のようにして貼り、カードがひっくり返って出てくる仕組み。横幅25㎝ほどのシューズケースがおすすめです。

091 文字を書くときの手首の運動に！

4歳～ スピログラフ

敏感期 ▶ 言語（書く）・感覚（幾何図形）の敏感期

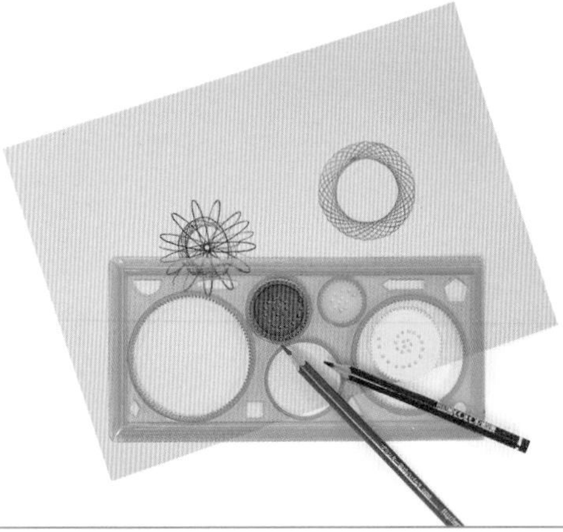

TIPS

昔からある玩具の「スピログラフ」も、その魅力を親が理解していれば、立派な教具となります。４歳ごろから運動の敏感期と言語の敏感期が重なって訪れ、子どもは鉛筆を使って字を書きたいという強い衝動に駆られます。しかし、まだ手首を自由にコントロールすることができないので、思うように字を書くことはできません。そんなときにこのようなスピログラフを与えると、自分が苦手な方向への運筆を身につけることができます。一番最初は子どもの手の上から親が支え、一緒に動きを感じさせたほうが良い場合もあります。

できあがった幾何模様は、子どもに驚きと達成感を与えます。できた作品はどんどん壁に貼ってあげましょう。

必要なモノ

- スピログラフ
- 色鉛筆（先端を削っておく）
- 紙

092 大きく何回もなぞることで書き順も覚えます！

4歳～

なぞりもじ

敏感期 ▶ 言語（書く）・秩序（順番）の敏感期

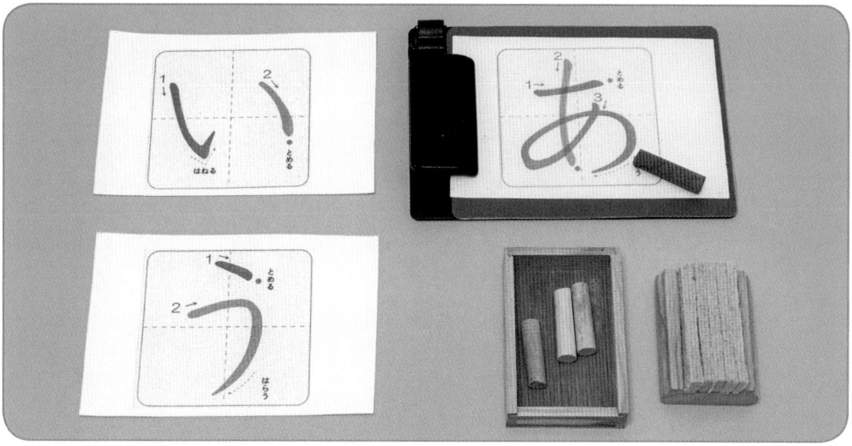

TIPS

手を大きく動かしながら字を書いてみたいという敏感期です。

大きめのお手本をクリアファイルにはさんで、好きな色のチョークで何回もなぞります。

秩序の敏感期の現れで順番にこだわるので、正しい書き順を見せてから始めましょう。たとえば「あ」と書いたら、書いた後に「あ」と発語することも有効です。

黒板消しで文字が消える部分も、子どもの興味を惹く点です。

必要なモノ

- A6サイズのバインダー
- 半透明でザラザラしているクリアホルダー　1枚
- チョーク
- 黒板消し
- チョーク入れ

作り方

1 クリアフォルダーの表紙をA6のバインダーに合わせてカット。

2 お手本はPC（ワード）で印刷し、クリアフォルダーに入れ、バインダーにはさむ。

093 手首の軽やかな動きはこの時期にしか身につかない！

4歳～ マス塗り

敏感期 ▶ 言語（書く）・運動（書く）・感覚（色彩）の敏感期

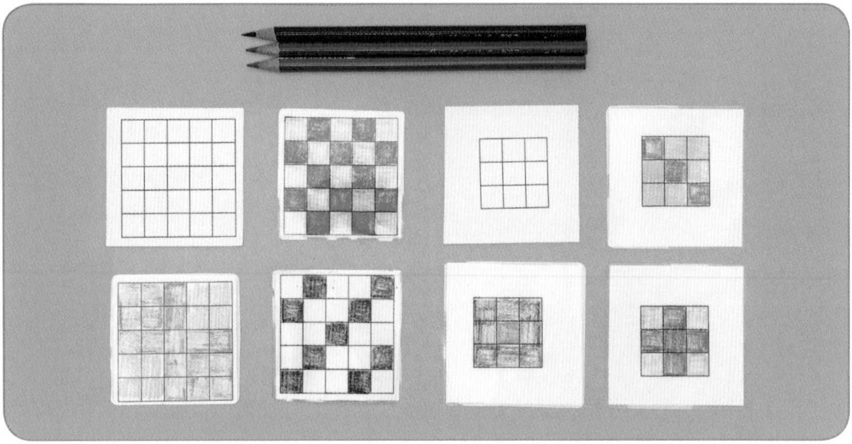

TIPS

４歳以降は書きたいという言語の敏感期と、手を上手に動かしたいという運動の敏感期と、色彩を判断したいという感覚の敏感期が並行して訪れます。今まで自由に描いていたのが、マスの中を綺麗に塗りつぶすという段階に進みます。外枠を濃くなぞってから、内側をうすく塗りつぶすのは、最初は難しいものです。しかし慣れてくると、手首をやわらかく動かし、上手に塗りつぶすことができるようになります。

この軽い手首の動きはこの時期にしか習得できないとも言われています。年長さんになると右の写真のような複雑なパターンにもどんどん挑戦していきます。

必要なモノ

- 1.2㎝四方のマス目のパターンカード（９マス、25マス、手書きでも可）
- パターンカードのお手本（事前に色を塗っておく）

数字嫌いな子どもにしないためにやるべきこと

数の敏感期

子どもはある時期がくると、数というものにとても敏感になり、数を数えたくてしょうがない、数字を読みたくてしょうがないという強い衝動に駆られます。これが「数の敏感期」なのです。

「数の敏感期」で注意することは「意外と遅くにやってくる」ということです。４～６歳くらいで訪れますので、月齢にもよりますが、年中さん以降と考えておきましょう。

そして、P.18でもお話ししたように、～期というものには始まりと終わりがあるのです。タイミングが大切だということですね！　「数の敏感期」というこのチャンスを見逃して小学校に上がってからでは、数を楽しんで学べなくなります。

そして多くの親御さんがやりがちなことですが、まだ敏感期が到来していないのに、計算ドリルを持ち出してきて、紙の上で無理やり数を教えようとしてはいけません。

遅すぎるのもＮＧですが、早すぎるのもＮＧなのです。「適時教育」ということを忘れないようにしましょう。

モンテッソーリ教育では、「現物・数詞・数字」の３つが子どもの頭の中で一致しているかを丁寧にアプローチします。

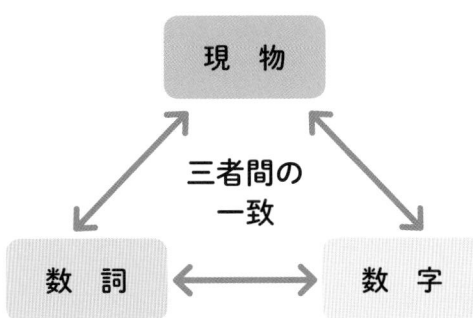

そのときにとても役立つのが手作りの教具です。

手作り教具で手を動かし、楽しみながら、数の敏感期をすごさせてあげましょう。

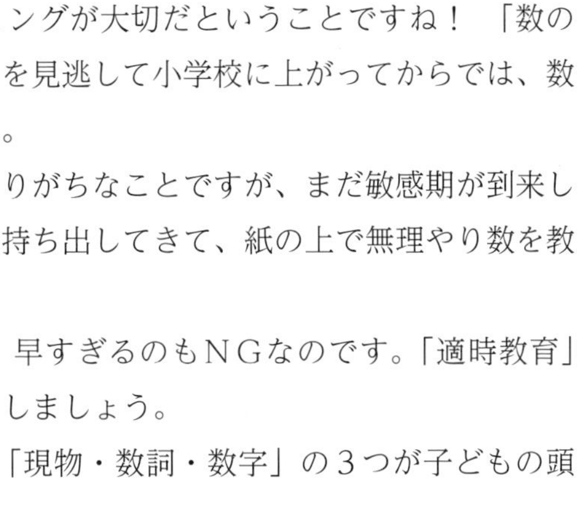

094 数えたい、触りたい子どもに最適な教具

4歳～ 砂数字板

敏感期 ▶ 数・感覚（触覚）の敏感期

TIPS

「数の敏感期」が訪れると、数字を読んだり、書いたりしたくてしょうがないという強い衝動に駆られるようになります。

同時に感覚の敏感期もやってきているので、手でザラザラしたものを触ってみたいとも感じているのです。

この2つの敏感期をうまく活用したのが、この砂数字板とP.174の砂文字板です。モンテッソーリは地面を嬉しそうに触っている子どもの姿を見てこの教具を思いつき、その晩に寝ないで作り上げたという逸話が残っています。

すべては観察から始まっていることがよくわかりますね。

必要なモノ

- コースター　10個（木製でも紙製でも可）
- サンドペーパー
- 数字の型紙（フォントは教科書体。PCで作成）
- のり

作り方

1 数字をWordなどを使って打ち、出力。その数字を切り抜き、型紙とする。

2 サンドペーパーをその型紙に合わせて切り抜き、コースターに貼る。

095

1から10まで基本はここから！

4歳～ 算数棒ミニ

敏感期 ▶ 数の敏感期

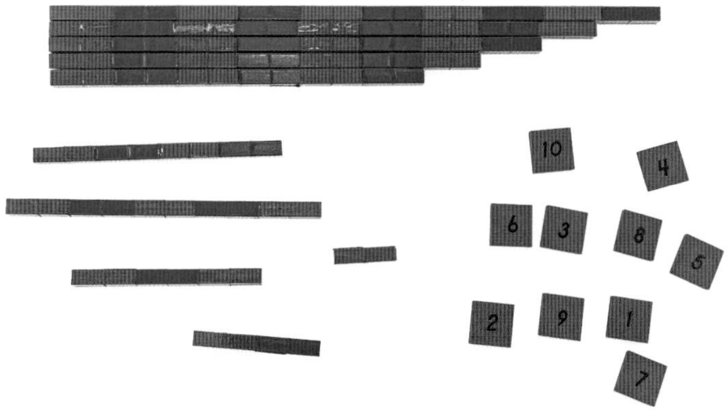

TIPS

同じ太さの棒にカラーテープを巻き、1～10までの10本を作ります。その際、最初の「1」は赤で、「2」は赤と青、「3」は赤、青、赤と交互に巻いていきます。子どもは均等に長さが長くなっていくことで、数と量の関係を体感することができます。

並べられた棒に、数字のカードをつけることで、具体物と数字を一致させることができるようになります。応用として、「2と4を合わせて6」などの足し算の要素を含んだ活動もできるようになります。

必要なモノ

- 1.2㎜角の木の棒（合計2m）
- 赤、青のビニールテープ（幅19㎜）各1本
- 数字のカード（1～10、2㎝×2㎝位の厚紙）
- ハンディのこぎり
- はさみ

作り方

1 8㎜角の棒に赤、青のカラーテープを、2回巻く（1色1コマが38㎜になる）。

2 のこぎりでその数のコマをハンディで切り、1～10まで10本作る。

動画でよくわかる
算数棒ミニ

096 「０」の概念を学びます！

4歳～ すいけい棒

敏感期 ▶ 数の敏感期

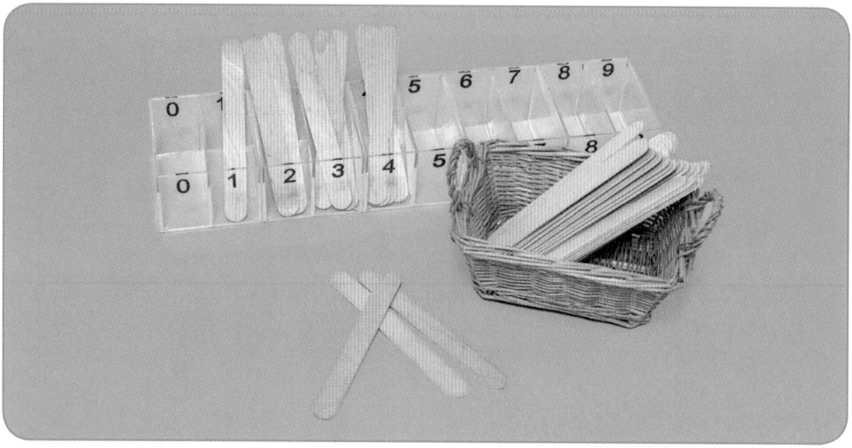

TIPS

透明なケースを組み合わせて、０～９まで10個の部屋を作ります。「いち」と声に出して、１本のスティックを握り、１の部屋に入れる。これを９まで続けます。

数が増えていくにつれ、手に握る量が増えていくことを体感できます。

この活動を通して、「現物」と「数字」と「数詞」の連携した理解が深まります。

全部入れ終わったところで、「０」の部屋に注目します。「０は何もないことなんだよね！」と、「０」の存在を体感させます。

必要なモノ

- ０～９までの数字シール２枚
- 透明ケース２連　５個
- アイススティック45本
- スティックを入れる器
- テプラ

097

偶数・奇数も学べます!?

4歳～ 赤い玉

敏感期 ▶ 数の敏感期

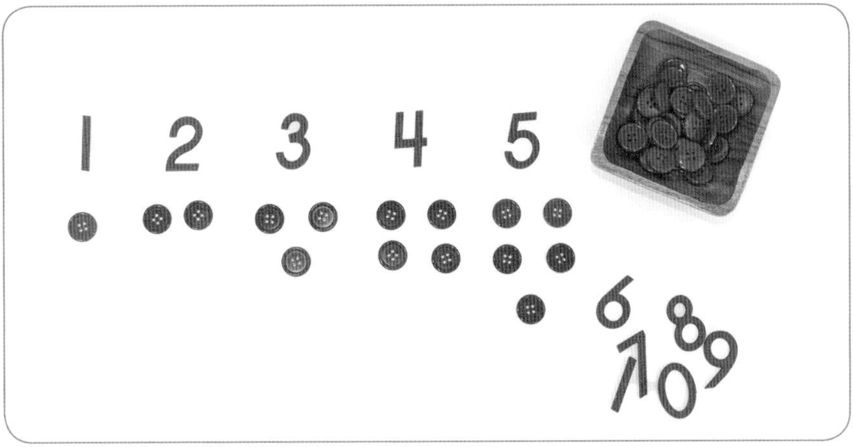

TIPS

数字と現物と数詞を一致させることがこの活動の目的です。

「いち」と声に出して、同じ数のボタンを握り、数字の下に置く。この際、3など奇数は最後のボタンを上の2つの真ん中に置くようにする。そしてこれを繰り返します。並べ終えたボタンに注目すると、真ん中にボタンがある数は「奇数」であり、偶数は真ん中にボタンがない状態になっています。

もちろん、この年代の子どもは「奇数・偶数」などは理解していません。しかし、「将来必ず学ぶことの種を事前にまいておく」、これをモンテッソーリ教育では「鍵の手の理論」と言います。

必要なモノ

- 1～10までの数字カード(ボール紙で作成したものでも可)
- 赤いボタン　55個
- 下に敷く布(フェルトなど縦30㎝、横1.5m位)

098 連続した30までの数字をマスターします

4歳～ 数字並べ

敏感期 ▶ 数・感覚(同一性)の敏感期

TIPS

算数棒、すいけい棒、赤い玉の活動を通して、1～10までの現物、数字、数詞の３つが十分に一致してから10以降の数字に進みます。

「感覚の敏感期」が同時に訪れているので、同じものを合わせたいという欲求もあります。同じ形の数字をマグネットで合わせていくうちに、数字を覚えていきます。数字を重ねたら「いち」と発語し、全部そろえ終わったら、続けて読んでみましょう。数を逆から数えることにもチャレンジしましょう。

逆から数えられて初めて、数字が身についたことになります。

必要なモノ

- 30マスケース
- カレンダーマグネット ２セット
- 白いマグネット　30個

作り方

1. マスの中にカレンダーマグネットを１から30まで貼る。
2. マグネットにカレンダーマグネットを１から30まで貼る。

099 十進法の基本が身につく素敵な「お仕事」

4歳～ 100のくさり

敏感期 ▶ 数の敏感期

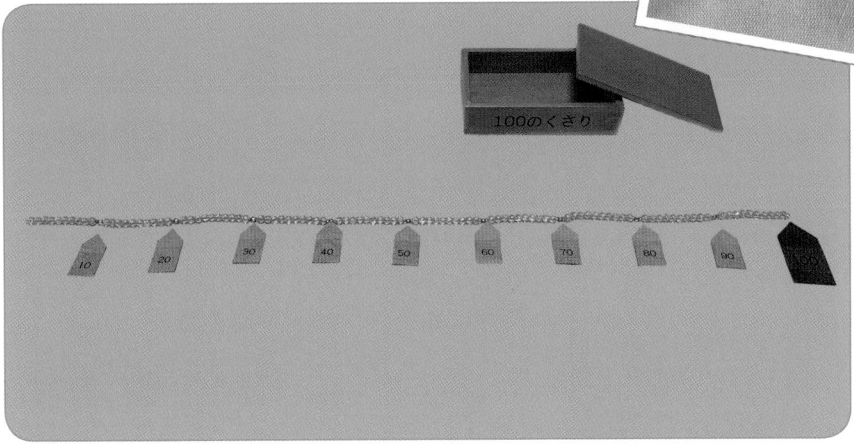

TIPS

100まで一気に実物を数えることで、数の連続性を感じます。これにより、十進法の基礎が身につきます。

1から丁寧に声に出しながらビーズを数えていきます。10になったら10の札をつけていきます。100になったら大きな100の札をつけます。

応用として、手書きで4の札を作り、「○○ちゃんは4歳だね。4のところに札をつけてみよう」「お父さんは36歳だから、36の札をつけてみよう」など、様々な数を認識させることで、数の連続性が身につきます。

必要なモノ

- 手芸用の9ピン　10本（6.5㎝）
- 穴あきビーズ　100個（５㎜）
- 手芸用Cカン　９個
- 先長ラジオペンチ

作り方

1. 画用紙で10、20……と札を作り、100の札は大きく作る。
2. ９ピンにビーズを10個とおして、端を先長ラジオペンチで丸めてとめる。これを10本作り、Cカンでつなぎ、上の写真のようなくさりにする。

100 立体の可能性を手作りの教具で広げましょう！

6歳～ ソーマキューブ

敏感期 ▶ 数（立体）の敏感期

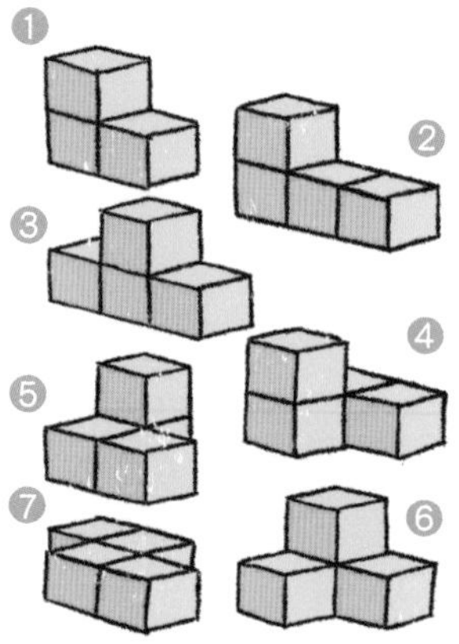

TIPS

まず、バラバラのキューブを自由に積んで立方体を作る練習をします。これができるようになったら、キューブを右上のイラストのように7つのブロックにし、このブロックを組み合わせてルービックキューブのような立方体を作れるようにします。これにより、立体に対する認識を高めることができます。立方体にする組み合わせは240パターンあります。直感的に組み合わせることで、立体感覚を身につけられるのがこの年代の特徴です。立方体だけでなく様々な図形、立体を見て、触って、感じることが大切です。

最終的には、具体物を使って動かすことはせずに、頭の中で図形、立体を展開できるようになっていきます。

必要なモノ

- 木製の立方体27個
- 木工用ボンド

作り方

最初はバラバラのピースを使って立方体を作らせ、慣れてきたら、27個の木製の立方体を木工用ボンドで上図のようにつけ、7つのブロックを用意する。

おわりに

子どもの活動別に、100のモンテッソーリ教具をご紹介してきましたが、いかがでしたか？
今のわが子にぴったり！　次はこの教具を用意してあげよう。そのように思っていただける教具がたくさんあったのではないかと思います。
一方で、もしかしたら、ちょっと手作りは難しいかも、と思われた方もいらっしゃるかもしれません。しかし、子どもがこういう活動をするのは意味がある、ということを知る、つまり子育ての予習をするだけでも、これからの子育ては変わっていくと思います。

「0～6歳の乳幼児期に、その後生きていくために必要な能力の80%を身につける」　M・モンテッソーリ

本書でもご紹介したモンテッソーリの言葉ですが、これは100年以上前から変わらず、これから先も変わりません。
子どもの成長の過程を学び、観察し、わが子の今を知る。そして、成長の手助けとなる手作り教具を提示する。子どもがその手作り教具に集中することで身につけた動きや感覚は、この先わが子が生きていくうえで一生の宝物になるのです。
親の手作りによる教具は高価なおもちゃや早期教育の知育玩具より、はるかに素敵なプレゼントとなり、どんな時代でも自分の力で生き抜ける力となるはずです。

私は、「モンテッソーリ教育をいつでも、どこでも、誰にでも」を実現するために、書籍を出版し、講演会を開き、YouTubeで動画を配信

してまいりました。
手軽でありながら、本格的にモンテッソーリ教育を学べる方法はないものかと模索し、そして、行きついたのが「完全オンラインでのモンテッソーリ教育授業」でした。
オンラインであれば子育て中でも、日本中のご両親とつながれるという思いで「ホームメイド・モンテッソーリ講師認定講座」を本書の共著者である伊藤あづさ先生と共に立ち上げました。「日曜の夜にパジャマ姿で学べる画期的な講座」「夫婦で一緒に画面の前で学べる」など、海外からも大きな反響をいただいています。ご興味を持たれた方は以下よりメールマガジンをご登録ください。

子どもの成長に対する正しい認識を持った親と、成長を手助けしてくれる環境の元で育った健やかな子どもたちが、世界を正しい方向へと導いてくれると信じています。

“子育ては世育て”

藤崎　達宏

藤崎達宏のモンテッソーリ教室
メールマガジンの
登録はこちら。
最新の子育て情報を
お届けします。

伊藤あづさの育児の
悩みを笑顔に変える
メールマガジン
登録はこちら。

子どもの才能を伸ばすモンテッソーリ教具100

著　者――藤崎達宏（ふじさき・たつひろ）
　　　　　伊藤あづさ（いとう・あづさ）
発行者――押鐘太陽
発行所――株式会社三笠書房
〒102-0072 東京都千代田区飯田橋3-3-1
電話：(03)5226-5734（営業部）
　　：(03)5226-5731（編集部）
https://www.mikasashobo.co.jp
印　刷――誠宏印刷
製　本――若林製本工場

ISBN978-4-8379-2856-0 C0030